# LAISSEZ-MOI
# DEVENIR

**COLLECTION PARCOURS**
dirigée par Josette Stanké

Dr Gilles Racicot

# LAISSEZ-MOI DEVENIR

**Une plongée bouleversante
et révolutionnaire sur
la relation mère-père-enfant.
Parents et éducateurs,
à lire absolument!**

*Stanké*

*La Collection Parcours est sous la direction de Madame Josette Stanké.*

## Données de catalogage avant publication (Canada)

Racicot, Gilles
    Laissez-moi devenir ; une plongée bouleversante et révolutionnaire sur la relation mère-père-enfant

    (Collection Parcours)
    Bibliogr.: p.

    2-7604-0286-X

    1. Perception auditive chez l'enfant.  2. Perception visuelle chez l'enfant.  3. Enfants autistiques — Psychologie.  4. Enfants instables moteurs — Psychologie. 5. Parents et enfants.  I. Titre.  II. Collection.

BF723.S35R33 1986    155.4'13    C86-096325-X

Illustration de la couverture : François Poirier
Maquette de la couverture :  d'Anjou et Poirier inc.

© Éditions internationales Alain Stanké ltée, 1986

ISBN 2-7604-0286-X

Dépôt légal : quatrième trimestre 1986

# TABLE DES MATIÈRES

*Et il dit :*

*Vos enfants ne sont pas vos enfants.*
*Ils sont les fils et les filles de l'appel de la Vie à elle-même.*
*Ils viennent à travers vous mais non de vous.*
*Et bien qu'ils soient avec vous, ils ne vous appartiennent pas.*

Khalil Gibran, « Le prophète ».

# PRÉFACE

« Ce que je sais, ce que je poursuis, ce que je suis est arrivé au bon moment pour me faire comprendre des choses que les gens peuvent maintenant entendre... »

Il tombe bien, dans notre humanité en plein changement. Il n'y a ni grandiose ni miracle pour le Docteur Gilles Racicot, médecin pédiatre, il n'y a que le simple, l'évident, reçus dans une vision puissante. Il va de découverte en découverte vers une perspective toujours plus claire et inclusive.

Ce sont les enfants autistes, hyperactifs et leurs familles qui lui ont permis de trouver les réponses qu'il détient. Il soigne autant de son savoir médical que de son bon sens et de son amour d'homme. Lorsque les trois coïncident dans les faits — le soulagement d'une misère — il sait qu'il est dans le vrai. Dans cette voie, il chemine seul. Il se réfère à l'approche des profils visuels et auditifs du Dr Lafontaine, à certains critères de la médecine et de la psychologie développementales, mais sa vision est unique. Il est donc, comme tout initiateur, sans autre repère que le résultat à venir.

« Les troubles de comportements des enfants viennent d'un déficit de communication intra-utéro entre la mère et le fœtus. Sans le dialogue intense et continu avec la mère, l'enfant ne peut pas s'initier à la vie ni acquérir la conscience d'exister. »

Voilà l'essentiel de ses certitudes. L'enfant ne peut pas vouloir ne pas développer ses potentialités. Pour cet humaniste savant, Dieu serait-il ce potentiel disponible qui demande à prendre forme, et la mère, le déclencheur à qui il est imparti de permettre à la vie dans l'enfant de devenir ?

C'est par le biais de la communication dans un état de symbiose absolue pendant la grossesse, avant même et après, que la mère signale à l'enfant son droit à la vie. « Mon principe général de traitement », dit le Dr Racicot, « est de faire revivre une grossesse normale entre la mère et son enfant pour que fassent surface les interdictions inconscientes et qu'elles soient reconduites dans une relation ouverte. La mère, libérée du sentiment de culpabilité et l'enfant, de ses impossibilités d'actualiser son être, se retrouvent prêts à être responsables de ce qui leur arrive... »

Docteur Racicot a l'humilité des savants qui savent trop bien ce qu'ils ne savent pas, la vivacité des êtres à l'affût et l'authenticité de ceux qui vont à l'essentiel. Il a la présence chaleureuse de ceux qui pensent ce qu'ils disent et vivent ce qu'ils pensent. « Je tiens cela de ma mère », confie-t-il, « une femme curieuse, sceptique, questionneuse, qui doit faire sa propre part des choses. Je le tiens ausssi peut-être de ma position d'observateur auditif entre deux frères visuels « pas possibles » que je tendais à défendre d'eux-mêmes. Mon stage en pédiatrie n'a fait que canaliser ma nature vers la compréhension des relations humaines à leur naissance, c'est-à-dire à partir du fœtus et même des gamètes... »

Ce livre est d'une approche simple et pratique qui permet sans aucune aide extérieure d'explorer et changer nos relations troublées. C'est un livre révolutionnaire qui libère de l'emprise matérialiste pour favoriser le bien-être dans les relations avec soi et avec l'autre, et même avec tous les autres. « Quand on se sent bien dans sa peau parce que l'on s'aime, on n'a pas besoin de changement, on n'est plus avide de possessions, on arrive à l'essentiel, le simple fait d'être et c'est le bonheur. Quand on a ce bonheur, on n'est plus achetable par personne, par la publicité, la politique, le fanatisme... Lorsque notre mère nous donne la permission d'être et de jouir de la vie, ce droit confère automatiquement le devoir de s'aimer, d'aimer l'autre et les autres, pour construire une humanité liée par la bonne volonté. Pour qu'il n'y ait plus d'atrocités, plus d'exclusions, plus de guerres. »

Chaque jour, Docteur Racicot s'attelle à son idéal de la manière la plus concrète, dans l'exercice quotidien jamais routinier ou neutre de la médecine pédiatrique. Il fait tout ce qu'il faut pour que la vie vienne avec l'amour, et c'est ce qu'il nous livre dans ces pages, pour notre plus grand bénéfice.

Josette Stanké

# AVANT-PROPOS

Depuis longtemps, le Dr Racicot s'intéresse aux travaux que nous avons menés pour répondre aux besoins de nombreux parents. Certains veulent faire suivre un traitement à leur enfant, d'autres souhaitent les aider dans leur scolarité, d'autres encore ne s'entendent pas entre eux sur la manière d'aborder l'enfant en cas de problème. Beaucoup de ces parents sont noyés d'informations. Certains consultent des spécialistes et lisent de la documentation ; ils n'en sont que plus perplexes devant la variété des écoles de pensée et des modes d'intervention préconisés. Il leur est également difficile de se situer par rapport aux normes en vigueur dans notre société.

J'ai eu l'occasion de travailler avec des partisans de théories et d'écoles différentes. Ces rencontres m'ont confirmé que chacun avait en partie raison et que notre point de référence commun était la réalité des réactions de l'enfant ; ainsi que le veut le vieil adage : « la vérité sort de la bouche des enfants ».

C'est ainsi que plusieurs spécialistes, d'approches différentes, se sont regroupés pour confronter leurs données aux réactions des enfants, et qu'est née en 1966 une équipe de travail interdisciplinaire centrée autour du département de psycho-éducation de l'Université de Sherbrooke. Le but de l'équipe était de cerner les difficultés scolaires d'une dizaine de garçons, par une approche multidimensionnelle systémique plutôt qu'analytique, et de travailler en accord avec les parents. Le résumé de cette étude a fait l'objet d'un bref rapport écrit en collaboration avec E. Paulhus (docteur en pédiatrie) et paru en 1980 dans la revue *La Vie médicale au Canada français* sous le titre de *L'Enfant intelligent qui n'apprend pas*. Notre expérience nous a menés à la question clef : « que faire pour prévenir ces difficultés ? »

L'exercice de notre art nous conduisant à examiner également des enfants plus jeunes et même des bébés, nous avons fini par identifier deux profils chez les nourrissons, profils que nous avons appelés profil *auditif* et profil *visuel*. En étudiant ensuite les enfants, nous avons déterminé que la majorité des couples sont formés d'un partenaire *auditif* et d'un partenaire *visuel*. Ainsi que le rapporte Ivon Robert, psychologue qui a appliqué ce concept à l'enseignement collégial régulier, il semble que pour former un couple chacun cherche un partenaire qui puisse lui apporter ce qui lui manque. C'est cette notion de complémentarité dans le couple que confirme Michel Kérouac dans sa thèse sur *Le modèle de Lafontaine en thérapie familiale*.

Puis, notre observation des enfants nous a amenés à constater que, dans une même famille, ils se regroupent par paires, chaque paire d'enfants étant constituée d'un enfant *auditif* et d'un enfant *visuel* (quel que soit l'ordre). Ces premiers résultats ont été publiés en 1975 dans la revue *Le Médecin du Québec* à l'intention de nos confrères, puis en 1976 à l'intention des éducateurs et en 1979 à l'intention des parents (avec la collaboration d'un d'entre eux).

C'est alors que le Dr Racicot me demanda si ce phénomène pouvait se déceler avant la naissance, puisque nous étions déjà en mesure d'établir le profil d'un nouveau-né. Il ne m'était guère possible d'étudier moi-même la question. Le Dr Racicot, piqué par la curiosité, décida donc de mener à bien ses propres observations. Sa persévérance et son acharnement l'ont conduit aujourd'hui à publier ce livre.

Même si je n'ai pas cherché à vérifier personnellement les théories du Dr Racicot, son livre me paraît des plus intéressants et digne d'être corroboré par enfants et parents. Cet ouvrage prolonge le concept des *auditifs* et des *visuels*, concept qui se veut un moyen pour les parents de se prendre en charge dans une société devenue pluraliste. Cette approche vise aussi bien le monde de la médecine que celui de l'éducation et celui de la thérapie d'aide. Même dans le monde du travail, où l'on tient assez bien compte de la complexité de la communication humaine, des observations récentes ont conduit Béatrice Lessoil à publier, à l'intention des gestionnaires, *Gérer en auditif ou en visuel*.

Je veux finalement rappeler la théorie de J. Jaynes (controversée elle aussi) selon laquelle la prise de conscience de nos réactions est un phénomène récent dans l'évolution de l'homme. Jaynes assume aussi que notre système nerveux est assez plastique pour qu'une simple base d'apprentissage et de culture lui ait permis de passer de la pensée bicamérale à la pensée consciente qui, résultant de l'utilisation du langage, lui paraissait plus une invention culturelle qu'une nécessité biologique.

La lecture du livre du Dr Racicot nous ramène à une question essentielle : « Qu'est-ce qui vient en premier ? » Les interactions multiples et complexes entre différents niveaux de langage constituent, pour le Dr Racicot, la nature même de son message.

Dr Raymond Lafontaine

# INTRODUCTION

Ils sont rares ceux qui parmi nous, dans nos pays industriellement surdéveloppés, parviennent à l'âge adulte bien préparés à jouir sainement de la vie et à partager leur bonheur avec autrui !

L'adulte possède habituellement les connaissances techniques nécessaires à son gagne-pain. Ce qui n'empêche pas qu'il puisse souffrir d'insécurité, se sentir mal intégré socialement et insatisfait, sinon profondément malheureux, sur les plans corporel, affectif et intellectuel et dans ses relations sexuelles, sociales ou professionnelles ou même dans ses activités récréatives.

Souvent, l'adulte est irréaliste quant à ce qui l'attend dans le mariage, aussi bien dans ses relations avec son conjoint qu'avec ses enfants. Il peut arriver qu'il comprenne mal les relations d'amitié et d'entente. Enfin, il a fréquemment l'impression de mal maîtriser son temps et son espace.

L'individu devient totalement adulte quand il se montre complètement autonome, et donc conscient de ses actes et de leurs fondements. L'individu n'atteint cette étape qu'après avoir franchi avec succès toutes les phases de son propre développement, phases qui le mènent de la période de mûrissement des gamètes jusqu'au stade adulte. Entre ces deux périodes, le corps enregistre plusieurs « images » des parents et de l'environnement. Plus ou moins accessibles à la conscience de veille, ces « images » influencent positivement ou négativement le développement de l'individu, son comportement, la vision qu'il a de lui-même et des relations qu'il entretient avec autrui et avec son milieu spatio-temporel.

Après avoir identifié les « images » dévalorisantes inconscientes et leurs causes profondes, l'adulte peut, s'il le désire, s'en libérer, se revaloriser et éviter de transmettre ces « images » à ses enfants.

Les « autistes » et les « hyperactifs » parviennent à l'âge adulte fortement démunis. Grâce aux observations recueillies durant le traitement de ces enfants et de leurs parents, j'ai pu rédiger cet essai sur les moyens qui permettent de dépister, de corriger et de prévenir certains handicaps néfastes au développement harmonieux de l'enfant et donc de l'adulte sain qu'il devrait devenir.

J'invite le lecteur (parent, thérapeute ou autre) à consulter l'annexe dans laquelle j'ai inséré les observations et les statistiques obtenues auprès de ces enfants, ainsi que les commentaires pertinents.

# LES PROFILS AUDITIF ET VISUEL

Pour mieux comprendre les bases théoriques de ce livre, le lecteur pourra consulter les plus récents écrits du Dr Raymond Lafontaine, *Êtes-vous auditif ou visuel ?*, Nouvelles Éditions Marabout. Je ne m'attacherai ici qu'aux éléments essentiels nécessaires à l'identification des profils, en y ajoutant mes observations personnelles.

D'après le concept du Dr Lafontaine, le genre humain se divise en deux profils, quels que soient la race, le sexe ou l'âge : le profil *auditif* et le profil *visuel*.

De prime abord, la personne de profil *auditif* utiliserait de préférence l'hémisphère gauche de son cerveau pour fonctionner et communiquer, alors que la personne de profil *visuel* utiliserait de préférence son hémisphère droit. N'est-ce que cela, ou bien y aurait-il davantage ?

Il y a plus ! Car la notion de profil englobe non seulement le niveau intellectuel, mais aussi tous les niveaux, qu'ils soient affectif, corporel, sexuel, socio-corporel, socio-affectif, socio-intellectuel. Sans oublier, au besoin, les niveaux supérieurs (esthétique, spirituel, etc.).

D'après ce concept, les personnes de profil *auditif* et les personnes de profil *visuel* sont complémentaires. Ainsi, un couple « viable » est presque toujours constitué de deux personnes de profils complémentaires *(auditif + visuel)*, les profils n'étant pas reliés au sexe. De fait, après sept ans de vérification, je n'ai jamais rencontré un couple marié dont les partenaires sont de profil identique *(visuel + visuel* ou *auditif + auditif)*.

La majorité des adultes utilisent alternativement leur hémisphère droit et leur hémisphère gauche. L'adulte apprend donc à maîtriser ses deux profils. Par contre, il utilise en priorité son profil de base (préférentiel) comme grille de référence. L'enfant agit de la même façon durant les stades de consolidation et d'autonomie et ce, lors de chacune des phases de son développement (voir chapitre « Les différentes phases du développement de l'enfant »).

Voici un petit test qui permettra au lecteur d'identifier grossièrement son profil préférentiel. Il n'est évidemment pas un test qui permettra au thérapeute d'identifier toutes les subtilités inhérentes à la dynamique des profils préférentiels et complémentaires.

### Quel est votre profil ? auditif ou visuel ?

N.B. La femme qui n'a pas atteint l'âge de la ménopause devrait s'abstenir de répondre à ce questionnaire dans les 6 jours précédant ou suivant le début de ses règles, ceci afin d'éviter de fausser les résultats !

Cochez « a » ou « b ».

1) Lorsque vous êtes au téléphone, êtes-vous porté(e) à dessiner
   a(D) des ronds ?
   b(　) des droites ?

2) Acceptez-vous plus facilement vos *petites* erreurs
   a(　) de jugement ?
   b(D) de sentiment ?

3) Vous endormez-vous
   a(D) toujours dans la même position ?
   b(　) indifféremment dans des positions variées ?

4) Si vous êtes une femme, vous sentez-vous moins énergique
   a(  ) les premiers jours de vos règles ?
   b(  ) les jours précédant vos règles ?
5) Souriez-vous plutôt
   a(  ) avec les yeux ?
   b(ᗯ) avec la bouche ?
6) Réagissez-vous à la provocation
   a(  ) immédiatement ?
   b(ᗪ) à retardement ?
7) Préférez-vous
   a(ᗪ) rendre un service au voisin ?
   b(  ) faire plaisir au voisin ?
8) Préférez-vous taquiner quelqu'un
   a(  ) sans modifier le sens des mots ?
   b(ᗷ) en modifiant le sens des mots ?
9) Êtes-vous celui ou celle qui
   a(ᗷ) embrasse en premier ?
   b(  ) tend la joue pour être embrassé(e) ?
10) Préférez-vous dormir avec des couvertures
   a(  ) lourdes ?
   b(ᗞ) légères ?
11) Pour vous ressourcer, préférez-vous
   a(  ) voir du monde et bavarder ?
   b(ᗪ) assister à un spectacle, visiter des musées ou
        des expositions ?
12) Préférez-vous
   a(ᐅ) une étreinte forte ?
   b(  ) une caresse douce ?
13) Pouvez-vous lire dans un endroit bruyant
   a(  ) avec facilité ?
   b(ᗪ) en sentant votre attention se disperser ?
14) Lorsque vous rencontrez quelqu'un pour la première
    fois, vous attachez-vous
   a(ᗪ) à son apparence et ensuite à ce qu'il dit ?
   b(  ) à ce qu'il dit et ensuite à son apparence ?

15) Face à une action à accomplir,
    a(  ) tentez-vous de prévoir tous les détails ?
    b(D) laissez-vous beaucoup de place à l'imprévu ?
16) Lorsque vous regardez la télévision,
    a(  ) bavardez-vous sans perdre le fil ?
    b(D) avez-vous l'impression de perdre le fil si l'on
         bavarde ?

Additionnez vos réponses « a » aux questions impaires et vos réponses « b » aux questions paires. Ce sont les caractéristiques auditives.

Additionnez vos réponses « a » aux questions paires et vos réponses « b » aux questions impaires. Ce sont les caractéristiques visuelles.

Le plus grand pointage vous indique votre profil !

4+5=9

2+4=6

auditif

\* \* \*

Voici maintenant une liste non exhaustive de « traits » caractérisant et différenciant la personne de profil auditif de la personne de profil visuel.

## La personne de profil auditif : niveau corporel

### — Ses attitudes

• Elle sourit plus avec les yeux. Si elle rit, elle se cache souvent la bouche avec la main.
• Lors de corps-à-corps, elle est portée à avoir des gestes d'encerclement et à retenir. Par ailleurs, elle n'aime pas qu'on lui rende la pareille.
• Elle se couche toujours dans la même position pour chercher le sommeil. Elle peut se retourner à deux ou trois reprises, mais revient toujours du même côté pour s'endormir profondément.

## — Son espace corporel

- La personne de profil auditif souffre toujours de claustrophobie, même si ce n'est qu'à l'état latent.
- Elle accepte difficilement de porter des vêtements serrés.
- Elle peut avoir l'impression d'étouffer sous l'eau, ou si elle entre tête première dans un endroit étroit et profond.
- Elle a facilement le vertige.
- Elle préfère les grands espaces.
- Elle dort habituellement avec peu de couvertures.
- Le nouveau-né dort mieux non bordé.

## La personne de profil visuel : niveau corporel

### — Ses attitudes

- Elle sourit avec la bouche plutôt qu'avec les yeux.
- Lors de corps-à-corps, elle est portée à avoir des gestes vers l'extérieur, donc de pousser avec ses mains ou ses pieds, mais elle aime moins qu'on lui rende la pareille.
- Elle s'endort dans n'importe quelle position. Si elle privilégie une position, c'est pour regarder la porte ou la fenêtre (en attente d'un événement particulier par exemple). Ce peut être aussi pour soulager une douleur quelconque.

### — Son espace corporel

- Elle est habituellement non claustrophobe.
- Elle accepte facilement de porter des vêtements serrés ou trop étroits.
- Elle n'a pas le vertige et ne craint pas l'eau profonde.
- Elle préfère les espaces restreints.
- Elle préfère dormir avec plusieurs couvertures.
- Le nouveau-né dort mieux très bordé.

## La personne de profil auditif : niveau affectif

- Elle se contente d'une présence relative, ne manifeste pas le besoin d'être dans la même pièce que la personne aimée.

Le son occasionnel de la voix de l'autre lui suffit.
- Elle peut supporter de longues conversations téléphoniques.
- C'est une femme qui peut conserver son emploi après la naissance de ses enfants sans se sentir coupable de travailler hors du foyer.
- Elle donne plus de latitude aux enfants et à l'être aimé.
- Dans le couple, elle décide d'embrasser son (sa) partenaire avant de s'endormir et lorsqu'il (elle) sort.
- Elle préfère l'étreinte et la caresse douces.
- Elle a besoin de se ressourcer à l'extérieur du foyer, aime les sorties et les sports de groupe.
- Elle n'aime pas la dispute ou la discussion trop vive, mais se montre par ailleurs ronchonneuse et bougonne.
- Lorsqu'on lui parle sur un ton élevé, elle ne se sent pas nécessairement attaquée et réussit à distinguer le message rationnel malgré la charge émotive.
- Elle supporte assez bien ses petites erreurs de sentiment qui ne lui causent qu'une légère déprime temporaire, car elle est plutôt portée à juger avec sa tête qu'avec son cœur.
- Elle aime mettre l'autre « en boîte ». Ainsi, elle peut raconter des bobards à l'être aimé et ne se dédire que deux jours plus tard.

## La personne de profil visuel : niveau affectif

- Elle exige la présence immédiate des êtres aimés et se sent mal en leur absence.
- Elle doit voir la personne qui lui parle, et se déplace pour lui parler.
- L'homme de profil visuel, en l'absence de sa femme, a tendance à sortir de la maison pour rechercher une autre présence.
- La femme de profil visuel a tendance à ne pas travailler à l'extérieur tant que les enfants sont en bas âge.
- C'est une « mère poule » ou un « papa gâteau ».
- Elle affectionne peu les conversations téléphoniques.

- Dans le couple, elle préfère être embrassée. Souvent, la femme de profil auditif affirme que c'est son mari (de profil visuel) qui, au moment de partir, l'embrasse. Vérification faite, on se rend compte qu'il va recevoir son baiser, mais qu'elle décide de le donner.
- Elle préfère l'étreinte et la caresse fermes.
- Elle se sent heureuse dans son milieu familial et préfère sortir en famille ou en tête-à-tête.
- Elle aime moins les groupes et préfère les sports individuels.
- Elle accepte facilement la dispute ou la discussion un peu vive, et souvent la provoque. Elle l'apprécie tant que le timbre de voix du (de la) partenaire s'en tient à des limites raisonnables. Elle élève souvent la voix, mais n'admet pas que la personne de profil auditif en fasse autant, car elle se sent attaquée et s'imagine qu'on ne l'aime plus.
- Elle accepte facilement les bougonnements et les ronchonnements de son (sa) partenaire de profil auditif.
- Elle supporte très mal toutes ses erreurs sentimentales qui l'abattent et la rendent malheureuse ; elle recherche alors le compromis.
- Elle recherche une justice affective.
- Pour taquiner l'être aimé elle le provoque en souriant : « Je ne t'aime pas ! », « Tu n'es pas beau ! », alors que l'autre est sur son trente et un.
- Elle n'accepte pas d'ordres brusques, étant plus sensible à la charge émotive qu'au message.
- Elle aime faire plaisir ; c'est l'une de ses motivations principales. Elle s'attend d'ailleurs à ce qu'on le lui rende bien.

## La personne de profil auditif : niveau intellectuel

- Lors de conversations téléphoniques, elle dessine machinalement des ronds sur un bout de papier.
- Elle peut se concentrer et accomplir une tâche en faisant abstraction du bruit environnant.

- Elle accepte très mal toutes ses erreurs de jugement : elle se retire ou se referme sur elle-même ; elle est alors déprimée pendant un bon moment et sa capacité d'action diminue.
- Même si elle connaît 90% d'un sujet, elle s'imagine toujours n'en rien savoir.
- Elle planifie à long terme, tente de tout prévoir « vingt ans à l'avance ».
- Avant d'entrer en action, elle jauge les contraintes passées et futures, et en oublie parfois les contingences du moment.
- C'est un être qui se programme ; il faut donc insérer vos projets dans les siens. Si vous désirez que votre partenaire de profil auditif passe à la réalisation, donnez-lui deux jours pour réfléchir à votre proposition, puis exigez qu'il (elle) vous donne la date de l'exécution du projet. Vous aurez ainsi plus de chances de le voir s'accomplir.
- La personne de profil auditif privilégie l'approche rationnelle sur l'approche émotive : à un ordre brusque, elle peut se montrer réticente mais l'accomplir par la suite au moment de son choix, si elle le juge pertinent.
- Elle porte attention au message plutôt qu'à la charge émotive.
- Elle aime rendre service et s'attend à ce qu'on lui rende service au besoin.
- Elle aspire à une justice égalitaire, mesurable et palpable.
- Elle adore jouer avec les mots, en modifier le sens dans la conversation, mais non dans l'écriture ou le dessin.
- Elle trouve la réplique deux jours après l'attaque.
- Elle préfère la communication verbale.

## La personne de profil visuel : niveau intellectuel

- Lors de conversations téléphoniques, elle dessine machinalement des traits ou des carrés.
- Elle a beaucoup de difficulté à se concentrer dans un environnement bruyant.

- Elle supporte assez bien ses erreurs de jugement pas trop graves, car elle accorde plus d'importance au côté affectif.
- Elle peut entrer en action avec 10% des données, et s'adapter ensuite.
- Elle prévoit généralement à court terme.
- C'est la personne de l'instant, de l'action et de la réplique immédiate, vivant dans le présent, donc plus angoissée quant à l'avenir.
- Elle adore faire de l'humour, surtout à travers les dessins, et un peu en écrivant, mais ne modifie pas le sens des mots lorsqu'elle parle. Pour elle, en effet, le sens des mots prononcés s'avère très important et ne doit pas être modifié.
- Elle préfère la communication non-verbale.

# L'APPROCHE THÉRAPEUTHIQUE

En tant que pédiatre, j'utilise systématiquement depuis sept ans l'approche du Dr Raymond Lafontaine — concept issu du fait qu'il existe une différence entre l'hémisphère gauche et l'hémisphère droit du cerveau — pour détecter et résoudre les problèmes de comportement de mes patients. J'applique cette approche à tous mes patients, aux membres de leur famille et, au besoin, aux autres intervenants.

Il y a quatre ans, j'ai observé chez l'enfant intra-utéro et la femme enceinte certains phénomènes relatifs aux profils que le Dr Raymond Lafontaine n'avait pas encore notés (voir Tableau V). Ceci m'amena à recueillir plusieurs observations et à formuler une hypothèse.

## Hypothèse

Trois facteurs m'amenèrent à formuler cette hypothèse :

1. J'avais fait de nombreuses observations sur le comportement de l'enfant intra-utéro (I.U.) et sur les phénomènes intra-utéro (que je relaterai dans une prochaine publication) ;

2. J'avais observé que tous mes « autistes » étaient de profil *auditif* et que tous mes « hyperactifs » étaient de profil *visuel* ;

3. Il me semblait que certaines mères peu ou mal conscientes de leur grossesse, avaient des enfants plus perturbés.

Je me mis donc à soupçonner que l'existence d'un défi-cit de communication intra-utéro (D.C.I.U.) entre la mère et l'enfant à naître pouvait être la cause principale de l'« autisme » ou de l'« hyperactivité » de certains enfants.

## Méthodologie

J'observai alors plus attentivement tous les hyperactifs qui fréquentaient mon cabinet, pour vérifier cette hypothèse.

Celle-ci s'avéra fondée, mais je ne pus obtenir d'aide extérieure. Or, les parents de ces enfants déclaraient, devant ma proposition d'approche thérapeutique : « De toute façon, nous n'avons rien à perdre ». J'entrepris alors de traiter ces enfants, en collaboration avec leurs parents, en utilisant conjointement la méthode de « bio-feedback » et la méthode des profils du Dr Raymond Lafontaine.

Après deux mois de traitement, je pris en charge quelques enfants reconnus comme « autistes » profonds, d'autres qui présentaient des caractéristiques autistes et des enfants atteints de troubles graves d'adaptation : diagnostics déjà posés par d'autres intervenants dans la majorité des cas.

Au bout de six mois de recherche, je regroupai en tableaux tous les faits et gestes identiques et répétitifs de ces patients, dans le but de classer cette énorme quantité de données apparemment hétéroclites. Ces tableaux, sous une autre forme (voir tableaux VI à XIII, XVII et XVIII), devin-rent alors une grille d'observation et d'évaluation dans le traitement de ces enfants.

Je reçois les enfants en compagnie de leurs parents une fois par mois, et la visite dure de une heure à deux heures et demie. Pour évaluer l'enfant, j'utilise entre autres l'écri-ture, les dessins, ses réactions lors de l'entrevue, et surtout ses réactions à la maison et à l'école (telles que m'en parlent ses parents et les autres intervenants). Les critères de déve-loppement d'Erick Erikson, de Françoise Dolto, de Jean Piaget et de la médecine développementale m'ont servi de

34

point de départ. J'encourage les parents et je leur explique les comportements actuels et futurs tout au long du développement de leur enfant.

## Observations générales

Tous ces enfants présentent, au départ, des déficiences corporelles, affectives et intellectuelles qui les situent à un âge mental très inférieur à leur âge chronologique. Le milieu professionnel de la santé considère que ces enfants atteints de désordres ou de déficits d'attention, de dysfonctions cérébrales minimes, de caractéristiques autistes ou de retards mentaux, sont des hyperkynétiques, des hypotoniques, des autistes, etc. Souvent, ces enfants ont été suivis pendant des années par des neurologues, des psychiatres et des psychologues ; ils ont subi différentes approches thérapeutiques, mais n'ont pas obtenu de résultats définitifs. C'est pourquoi les parents restent insatisfaits devant les diagnostics et les traitements apparemment peu efficaces.

## Traitement

Il est effectué *par les parents*. Il faut donc d'abord vérifier que les parents peuvent entreprendre un traitement qui risque parfois d'être long.

### — Déculpabilisation de la mère

Toutes les mères présentent au début du traitement un état dépresso-symbiotique. Il faut donc déculpabiliser la mère face à elle-même et face à son enfant, même si elle est effectivement responsable des déficits de communication intra-utéro ou des diktats négatifs ou positifs transmis à son enfant intra-utéro. Il faut rechercher la cause avec elle, la lui expliquer et la rendre consciente de la raison exacte de son attitude envers son enfant intra-utéro. Le déficit peut en effet être relié à un déficit de communication inconscient

35

entre la mère et ses propres parents ou entre la mère et son mari, ou être relié à un problème social.

### — Rôle de la mère ou de son substitut

Le principe général consiste à faire revivre à la mère et à son enfant une grossesse normale.

A) La mère doit faire preuve d'une attitude positive de communication verbale ou d'intériorité envers son enfant, comme toute femme enceinte devrait le faire. Par exemple, elle doit faire des commentaires positifs sur tout ce qu'elle ressent, voit ou entend ; quant à ses attitudes négatives, elle doit aussi les commenter à son enfant, en lui expliquant qu'elle est la seule concernée — en tant qu'être autonome — même si l'enfant ressent, lui aussi, tout ce qui se passe.

B) La mère doit faire preuve envers son enfant d'une attitude de disponibilité et d'écoute totale, permanente et sans réticence, même en l'absence de contact physique immédiat.

C) La mère doit raconter à son enfant l'histoire de sa grossesse dans les moindres détails, et ceci jusqu'au jour où l'enfant refuse totalement de l'écouter en se sauvant, en se bouchant les oreilles ou en changeant de conversation. Cette histoire inclut :
- la narration d'une journée type au cours d'une grossesse : lever, repas, travaux, occupations, loisirs, etc.
- les différents événements ou états d'âme qui ont pu influencer l'enfant : garde d'autres enfants, maladies, dépression, ennui, etc.
- le fait que ses aînés (frères, sœurs), le père ou d'autres personnes communiquaient avec lui.
- le récit de tous les déficits de communication intra-utéro généraux, de tous les diktats positifs ou négatifs transmis à son enfant durant cette période.

Dans les cas de déficits intra-utéro généraux, et après chaque commentaire, la mère doit se déculpabiliser et corriger le déficit en employant le message approprié. Par exemple : « si j'avais su ce que je sais aujourd'hui, je n'aurais pas agi ainsi ; je ne t'aurais pas dit ceci ; tu es libre d'agir maintenant comme tu le veux ; je te libère de tout ; je te rends ta liberté ; je suis prête à t'écouter : tu peux communiquer avec moi ou avec qui tu veux ».

S'il s'agit de messages conscients ou inconscients — dépression, obésité, anorexie, ennui, peurs incontrôlables, rejet de la grossesse de la part d'un des parents, peur de l'avortement, mère enceinte battue, etc. — la mère doit dire à son enfant : « j'aurais dû te dire que j'étais la seule personne concernée et tu n'aurais pas été déprimé. Je te rends ta liberté. Tu peux souhaiter ou non d'être déprimé : cela ne concerne plus que toi ».

Cette méthode peut paraître simpliste, mais elle est efficace : les résultats sont concrets et probants. Cela demande toutefois, de la part des parents, beaucoup de simplicité et de franchise pour parler ainsi à leur enfant. Certains parents peuvent trouver cette démarche difficile par son authenticité.

N.B. L'enfant, dès les premières semaines de sa vie, comprend et intègre tous ces nouveaux messages d'une façon parfaite.

Il faut parfois répéter à l'enfant l'histoire de la grossesse au début de chaque phase de son développement, c'est-à-dire à neuf mois, trente mois, sept ans, dix ans pour les filles ou douze ans pour les garçons. En effet, d'une phase à l'autre, l'enfant peut oublier l'histoire. Et il doit passer par toutes les phases appropriées lors du traitement.

## — Phase de développement de l'enfant

Il faut expliquer aux parents et aux différents intervenants comment l'enfant pense, agit et aime selon la *phase* de développement où il se situe, et comment réagir envers lui.

Dès les premiers jours du traitement... et souvent dès la première séance de thérapie, on note une diminution marquée des symptômes. L'enfant peut même sourire et embrasser sa mère.

## Écueils au traitement

Lors du traitement, le thérapeute peut se trouver confronté à différents écueils :
— l'âge avancé des parents.
— le fait que l'enfant soit pris en charge par un établissement spécialisé.
— le fait que l'un des parents souffre d'une maladie chronique grave.

Chacun de ces trois facteurs peut provoquer un désintérêt partiel ou total de la part d'un ou des deux parents.

— une mère très narcissique

Cette mère prend habituellement son enfant intra-utéro comme confident. Elle accepte donc très mal de se placer en situation d'écoute, puisqu'elle est elle-même atteinte d'un déficit profond. La mère narcissique ne sait pas donner : elle est plutôt portée à exiger. J'ai l'impression, et je ne suis pas le seul, que le traitement de l'enfant issu de mère profondément narcissique serait facilité si on pouvait utiliser une mère substitut. À défaut de cette solution, on pourrait placer l'enfant dans un établissement où une seule thérapeute jouerait le rôle de substitut maternel. Enfin, il faudrait bien sûr terminer le traitement de la mère narcissique avant de pouvoir entreprendre celui de l'enfant.

— le fait que l'enfant présente un retard très profond

Dans ce cas, les changements s'étalent sur une période plus longue et, de ce fait, sont plus difficilement perceptibles, et donc moins encourageants. Ils peuvent même faire douter de l'efficacité du traitement dans l'esprit des parents et du thérapeute.

— le rejet de cette approche thérapeutique, soit par l'un des parents, soit par le milieu familial proche ou les différents intervenants.

— les dévalorisations ou les déviations parentales

Le thérapeute doit les identifier et les traiter très tôt s'il veut que son patient devienne un enfant ou un adulte bien adapté ; ceci afin d'éviter des réactions négatives très fortes de la part de l'enfant, qui pourraient aller jusqu'à bloquer son développement.

— une réaction négative de l'enfant lors du traitement

Il faut en rechercher la cause, soit intra-utéro, soit dans le comportement d'un des parents qui se dévaloriserait ou dévaloriserait l'enfant au niveau corporel, affectif et ou intellectuel ; la cause peut également venir de l'extérieur.

— le fait que l'enfant soit adopté

Le thérapeute doit inventer une histoire de toutes pièces, déduite du comportement actuel de l'enfant. Il modifie et complète cette histoire au fur et à mesure que des réactions comportementales exagérées apparaissent chez l'enfant. Il ne faut pas oublier, dans ce cas, d'excuser les vrais parents auprès de l'enfant. Les parents adoptifs ou les parents du foyer nourricier doivent accepter totalement, et pour un temps indéterminé, de jouer le rôle des parents biologiques.

— la difficulté à identifier la phase de développement de l'enfant

Le thérapeute doit pouvoir identifier la phase de développement dans laquelle se situe l'enfant, à tout moment du traitement ; il doit en décrire les caractéristiques aux parents et aux différents intervenants. Les comportements de l'enfant s'expliquent selon cette phase, et non selon son âge chronologique.

— l'âge avancé de l'enfant

L'enfant âgé de plus de dix-huit ans vit habituellement reclus à l'intérieur du milieu familial. Sa réinsertion dans le milieu scolaire, professionnel ou social s'avère plutôt laborieuse ; elle exige une bonne collaboration et une grande ouverture d'esprit de la part des intervenants de ces différents milieux.

— le fait que les parents (un ou deux) ou leurs
   ascendants présentent (ou ont présenté) des signes
   d'« autisme » ou d'« hyperactivité », ou les deux.

## Conclusion

On peut répartir en deux groupes distincts les enfants que j'ai traités pour troubles graves du comportement :

D'un côté, j'ai constaté que tous les hyperactifs, les hypertoniques, les hyperkynétiques, et les enfants atteints de certaines dysfonctions cérébrales légères ou de déficits d'attention, étaient tous des enfants de profil *visuel*. Que leur état soit grave ou léger, je les regroupe donc sous le terme HYPERACTIFS.

D'un autre côté, j'ai constaté que tous les autistes, les hypotoniques, les hypokynétiques, et les enfants atteints de certaines dysfonctions cérébrales légères, de certains retards mentaux ou de certains déficits d'attention, étaient tous des enfants de profil *auditif*. Que leur état soit grave ou léger, je les regroupe donc sous le terme AUTISTES.

Ces deux groupes d'enfants présentent des déficits corporels, affectifs, intellectuels, sociaux et d'ordre supérieur (artistiques, etc.). Ces déficits font qu'ils ne peuvent dépasser trente mois d'âge de développement. Ces troubles d'adaptation et ces syndromes semblent consécutifs à des déficits inconscients de communication entre la mère et son enfant, avant et après la naissance. Le traitement s'accomplit donc à l'aide de la mère ou de son substitut féminin. Il s'agit d'une thérapie par identification et modification d'empreintes inconscientes au niveau du cerveau de l'enfant (voir « La notion de cerveau trinique », dans *Êtes-vous auditif ou visuel ?*)

Après quinze mois de traitement, sur les quarante-deux enfants traités, vingt-sept (64%) ont retrouvé un équilibre corporel, affectif et intellectuel correspondant à leur âge chronologique réel. Il faut, en moyenne, un mois de traitement pour « récupérer » un an de développement. Il est à noter que plus le déficit est profond, plus la récupération est lente. Les quinze enfants encore en traitement progressent de façon continue et semblent devoir atteindre un niveau de développement satisfaisant, comparable à celui des enfants « normaux ».

Après vingt-et-un mois de traitement, trente-cinq des quarante-six enfants (76,1%) en traitement ont atteint un développement à tous les niveaux correspondant à leur âge chronologique. Par contre, cinq de ces trente-cinq enfants (10,8% des quarante-six cas) présentent encore des troubles du comportement qui ne sont pas reliés à des déficits de communication intra-utéro maintenant corrigés, mais qui leur ont été transmis (culturellement ou héréditairement ?) par leurs parents et leurs ascendants « autistes » ou « hyperactifs ». (Voir ELLIOT F.A., *The Episodic Dyscontrol Syndrome and Aggression*.) J'ai entrepris auprès de ces patients une nouvelle formule de traitement qui m'apparaît prometteuse.

# LES DIFFÉRENTES PHASES DU DÉVELOPPEMENT DE L'ENFANT

Notons que les pourcentages donnés dans ce chapitre ne sont que des points de repère et ne doivent pas être considérés comme des valeurs absolues.

Il me faut d'abord parler brièvement de ce qui se passe avant la naissance pour rendre la suite facile à comprendre.

## Avant la naissance

L'enfant se trouve en état symbiotique complet avec sa mère. Sa mémoire enregistre déjà les sons, les paroles, les goûts et les caresses qui se rendent jusqu'à lui, venant de sa mère ou de l'extérieur. Cependant, un autre apprentissage important s'accomplit en lui au niveau affectif et qui met en jeu la communication verbale ou non verbale de la mère : les sentiments de la mère s'enregistrent dans l'inconscient de l'enfant. (Les communications intra-utéro font l'objet d'un autre chapitre.)

## À la naissance

Lors de la naissance, tous les intervenants doivent faire en sorte de minimiser les risques de traumatismes physiques, affectifs ou intellectuels. L'enfant qui naît ne demande qu'à coopérer. C'est déjà un être humain et il comprend tout, selon son propre niveau de développement bien sûr. Il mérite respect et considération. Sa mère et les intervenants doivent lui expliquer ce qui se passe, même non verbalement ; il comprendra.

## De zéro à un mois : phase de « la lune de miel »

C'est la phase symbiotique quasi complète, l'étape de « la lune de miel ! ». C'est pour la mère et le père le moment d'établir un contact externe avec cet être auparavant intra-utéro.

Le père et les personnes vivant dans son entourage immédiat, dont les enfants plus âgés, sentent et respectent affectueusement le détachement et l'acclimatation en douceur qui se produisent entre la mère et l'enfant.

Le bébé de profil visuel, dès le départ, s'avère l'être de l'instant ; celui de profil auditif réagira un mois après la naissance.

## De un à huit-neuf mois : phase du nourrisson

C'est une phase symbiotique à 75%.

Chez le nouveau-né, tous les sens ont un fonctionnement indépendant ; puis la vision binoculaire se développe ; ensuite apparaissent graduellement les relations entre la vision et l'ouïe, le toucher et l'ouïe, le toucher et la vision et finalement entre tous les sens.

Au début, lorsque l'enfant regarde, il n'écoute pas ; lorsqu'il touche, il ne regarde pas. En effet, le bébé reste surpris du bruit du hochet qu'il tient à la main ; il met un certain temps à intégrer la relation de cause à effet entre le mouvement de sa main, le bruit du hochet et son mouvement. On peut admettre que le développement des facultés cognitives est relativement lent.

C'est la phase d'apprentissage des sens, par écholalie, par mimétisme (imitation des parents, des enfants, des bruits) et par lancers libres ou hasards répétés. Ensuite, et afin de saisir les objets qu'il désire ou d'attirer l'attention sur ses besoins, le nourrisson utilise d'une façon imaginative les premières données déjà intégrées par ses sens. De plus, lorsqu'on le laisse libre, il apprend à intégrer intellectuellement, affectivement et corporellement tout ce qui se passe dans son environnement. Enfin, il apprend, en coopérant de façon passive ou active à toutes les occupations qu'on lui propose. Il immobilise ses jambes lorsqu'on le change de couche ; et se ferme la bouche ou repousse le biberon lorsqu'il a suffisamment mangé ou bu.

Le nourrisson acquiert une notion du temps plus élaborée que celle qu'il percevait intra-utéro. Il la développe par les gestes rituels (l'heure du bain), l'absence de bruit la nuit et la présence d'activité le jour, la douleur, le plaisir et la satisfaction répétés après chaque biberon ou chaque repas, le temps de réponse à ses besoins physiologiques (les changements de couches), à ses besoins affectifs (l'absence plus ou moins prolongée des êtres aimés), à ses besoins intellectuels (la répétition des mots, des bruits, des gestes, etc).

Il acquiert la notion d'espace en recherchant de moins en moins l'odeur et la présence immédiate de sa mère, surtout si, au moindre bruit anormal, sa mère se rend immédiatement auprès de lui. Ainsi sécurisé, il peut tolérer une présence moins directe ; il est rassuré par les bruits familiers de sa mère dans une autre pièce. Il peut alors se lancer à quatre pattes à la découverte du monde environnant, et vérifier, à travers ses rondes, la présence de sa mère. Son esprit curieux le pousse à voir toujours plus loin, à étendre son « territoire », la curiosité l'emportant parfois sur la sécurité.

Dans la phase du nourrisson, il n'y a aucune manifestation de sadisme de la part de l'enfant. C'est une période d'amour pur, de positivité pure, sans aucune forme d'agressivité. Le nourrisson peut, par contre, se replier sur lui-même. Si on sourit à l'enfant, il sourit ; si on lui fait les gros yeux, il fait la moue, pleure ou se relie. Il ne pense jamais de lui-même à frapper ou à griffer. Il peut manifester ses besoins et déplaisirs (s'il a soif, s'il est sale), d'abord en rechignant, puis en pleurant si on tarde à répondre, et manifester ses plaisirs en ronronnant (pendant le biberon).

Il porte déjà en lui tous les sentiments humains, même l'humour, mais à l'état frustre. Il ne demande qu'à aimer et qu'à faire plaisir, à condition qu'on réponde à ses besoins légitimes. Si ses parents trouvent un juste milieu à tous les niveaux, l'enfant n'abuse pas et il est heureux.

Entre huit et neuf mois, et pendant quinze jours environ, le nourrisson atteint un stade d'angoisse. Il pleure, se colle sur sa mère ou refuse de dormir. Il est craintif lorsque ses parents le déplacent ou le mettent en présence d'un étranger. Pendant cette période, il se montre nerveux et irritable ; il s'éveille parfois la nuit, fait des cauchemars, mange moins bien.

Ce stade d'angoisse précède TOUJOURS le stade de « l'appel à la mère » (expliqué plus loin), celui-ci marquant toujours le début de CHAQUE phase.

À neuf mois environ, l'enfant entre dans sa troisième phase et accomplit ses premiers « appels » aisément discernables.

## De huit-neuf mois à deux ans et demi environ : phase de la petite enfance

C'est une phase symbiotique à 50%. C'est aussi une phase à 100% sadique sur les plans physique, affectif et intellectuel. C'est la phase d'alternance entre le positif et le négatif, la phase d'apprentissage très frustre par les opposés, la phase du « tout ou rien ».

L'enfant apprend par les extrêmes négatifs et positifs. Il dit, sans identifier le milieu : « en haut », « en bas » ; « grand », « petit », « beau », « laid », etc.

L'enfant passe presque instantanément de l'amour à la haine. Il n'y a pas de milieu et les parents doivent souvent s'attendre à une morsure après un baiser, ou à une gifle après un sourire. Il répond « je t'aime ! » ou « moi, je ne t'aime pas ! » à un « je t'aime » ; et il est inutile d'essayer de le faire changer d'avis !

Un jour il est exécrable, refuse de se brosser les dents, de s'habiller, d'aller à la toilette, alors que le lendemain, il accomplit tous ces gestes sans rouspéter. Il détruit avec plaisir ce qu'il vient d'accomplir, déchire son dessin devant sa mère émerveillée. Il n'accepte JAMAIS de corriger une erreur : il pleure ou se retire.

Les parents, durant la période négative de l'enfant, peuvent tout simplement le laisser libre si l'acte ne porte pas à conséquence. Par exemple, s'il refuse de s'habiller alors que l'on ne sort pas ; après quelques minutes de réflexion, l'enfant ira de lui-même s'habiller parce qu'on a respecté sa liberté.

Durant cette phase, la mère et le père doivent se protéger, protéger les autres enfants et les autres adultes, et le protéger contre lui-même : en effet, l'enfant se montre tout à fait imprévisible dans ses réactions.

Si, après avoir embrassé, l'enfant mord (griffe ou tape), il ne faut surtout pas le mordre, car ce serait manifester autant de sadisme que lui. Il faut se contenter de le « mordre » du bout des lèvres pour lui montrer ce qu'il faut faire. Par la suite, et assez longtemps, il faut se protéger en refusant de se laisser embrasser (il suffit de lui tenir les bras) ; par contre, on peut le gratifier de baisers et de caresses. Ainsi, lorsqu'il reviendra dans sa période positive, sa période d'amour, il se sentira très frustré de ne pouvoir embrasser ; il faudra alors le laisser faire. L'enfant deviendra ainsi de moins en moins négatif durant les périodes négatives suivantes. Et il aura toujours tendance à privilégier l'approche positive, la première qu'il a connue de zéro à huit mois. Il ne faut surtout pas manifester de l'agressivité envers l'enfant durant ses périodes négatives, mais plutôt lui opposer une attitude neutre.

Les parents doivent faire preuve de renforcement positif durant les périodes positives de l'enfant, et profiter de ce moment pour le valoriser, sans lui rappeler ses périodes négatives.

Si l'enfant devient un « danger public » ou s'il manifeste des réactions négatives très fortes, c'est qu'il « appelle au secours » (voir plus loin). Il faut alors, sans agressivité, le placer dans son parc ou dans sa chambre, et lui laisser toute liberté d'agir. Les parents doivent alors remettre en question leur comportement face à l'enfant et face à eux-mêmes.

Durant cette phase, vers l'âge de deux ans, l'enfant passe par l'« appel sexuel » (forme d'œdipe). Cet appel est plutôt frustre : l'enfant prend conscience de ses organes génitaux et de ceux des autres. C'est le temps des rires complices des enfants quand ils entendent les mots « pipi » et « caca » ; c'est aussi l'époque de l'investigation des accessoires de toilette, à la maison comme ailleurs.

Durant cette phase, le langage s'élabore davantage et passe par une étape d'écholalie modifiée. Si la mère dit « comme il fait beau dehors ! », l'enfant dira « dehors beau » ou « dehors fait beau » au lieu de « fait beau dehors ».

Au début de cette phase, l'enfant n'emploie d'abord pour dessiner qu'une couleur unique, alors qu'à la fin de la phase il emploie des couleurs multiples, chacune d'elles identifiant globalement les objets : maison, animaux ou personnages, etc.

À cette phase de son développement, l'enfant identifie les formes et les personnes sans porter attention aux détails ; l'identification se fait selon son approche ou sa vision du moment, qu'elle soit corporelle, affective ou intellectuelle. Il ne recherche pas les différences, mais tend plutôt à s'identifier en tant que personne unique en alternant successivement les oppositions et les identifications globales. Il peut y parvenir sans devenir négatif, en alternant le centre et l'extrême positif. Tout dépend de l'attitude des parents.

Ses connaissances du temps et de l'espace sont encore très rudimentaires. Il vit ses périodes d'attente ou de frustration, ainsi que ses périodes de plaisir, avec une intensité maximale ; elles lui semblent éternelles.

Son autonomie et sa responsabilité s'accentuent en fin de phase. On le décrit alors souvent comme un « petit homme » ou une « petite femme ». Il est déterminé et sait ce qu'il veut. Il connaît bien son territoire, ses possessions et il les protège. Il se sent en sécurité dans son environnement. Il se réfère moins souvent à ses parents ou aux personnes responsables ; il vaque plutôt à ses propres activités et connaît bien la routine de chaque jour.

Il peut comprendre, mémoriser et exécuter deux ordres simultanés : « va porter ta couverture dans ta chambre et rapporte-moi mes pantoufles ».

On ne peut appeler cette phase « négative » car elle se révèle à la fois négative et positive. On devrait donc l'appeler « la phase d'alternance entre le positif et le négatif ».

## De deux ans et demi à sept ans pour les garçons et de deux ans et demi à six ans et demi pour les filles : phase de l'enfance

C'est une phase symbiotique à 37,5%, mais elle est encore aux trois quarts sadique sur les plans physique, affectif et intellectuel.

Dans cette phase, l'enfant fait moins mal aux autres et, pour la première fois, il se distingue intuitivement, plus concrètement et plus subtilement de sa mère et des autres, et ceci selon les trois niveaux de communication : il ressent que son corps, ses sentiments et ses réalisations lui sont propres. Il prend conscience de la sexualité.

Ainsi, dans ses dessins, il peut identifier les diverses parties du corps des individus qu'il connaît et, à l'aide de la couleur, leur attribuer avec justesse les qualités corporelles, affectives, intellectuelles, sexuelles et sociales qu'il détecte en eux.

Il prend aussi conscience de l'existence d'un MILIEU entre les extrêmes et se révèle moins sadique. Mais, il ne corrige son sadisme que pour obtenir ce qu'il désire. S'il dit à sa mère : « tu es laide ! », il ne corrige rien sur le moment ; mais si deux heures plus tard, il demande une gâterie à sa mère et que celle-ci lui demande : « que m'as-tu dit tout-à-l'heure ? », il répond spontanément : « c'était pas vrai ! », « c'était pour rire ! » « c'était une farce ! ».

Il cherche à s'identifier et à identifier les autres surtout par la DIFFÉRENCIATION positive. C'est ainsi que deux enfants de cet âge peuvent s'obstiner longtemps, l'un disant : « mon papa est plus grand que le tien ! » et l'autre répliquant : « mon papa est plus beau que le tien ! ». L'enfant dit fréquemment à sa mère : « je suis le plus gentil : hein maman ? ».

Dans les jeux, « il est toujours le premier ». Si dix enfants de cet âge participent à une course, l'adulte tout étonné devra bien admettre qu'il y a dix premiers ! L'enfant est en compétition avec lui-même et non avec les autres.

Il s'identifie surtout par la différenciation négative quand il s'agit de manipuler quelqu'un pour obtenir davantage. « Les autres ont ceci et moi je n'en ai pas ! », « On ne m'aime plus ! », etc.

Sur le plan intellectuel, il utilise le mensonge et la fabulation pour savoir où se situe la vérité. Il s'attend d'ailleurs à ce que les adultes s'en rendent compte et le ramènent doucement à la réalité. On peut alors lui dire sans agressivité et sans trop exagérer : « est-ce bien vrai ce que tu dis là ? », « es-tu bien sûr de ce que tu dis ? », « moi, je ne suis pas si certain que ce soit vrai ! Peux-tu y repenser ou revérifier ? ».

Sur le plan corporel, il voit les choses telles qu'elles sont et démontre très peu de qualités d'abstraction ou de diplomatie. Il peut dire à un étranger : « ton pantalon est sale ! ».

Il n'accepte sur son territoire familial qu'UN SEUL enfant étranger. Ce dernier doit se plier à ses exigences s'il ne veut pas se faire sortir rapidement. En visite chez son ami, l'enfant se plie volontiers aux exigences de celui-ci.

En terrain neutre (par exemple chez leur grand-mère), deux cousines jouent ensemble : elles cherchent le compromis ou l'alternance dans leurs rapports de dominant à dominé. Lorsqu'elles sont fatiguées d'être ensemble, elles évitent l'affrontement et se retirent chacune de son côté.

C'est la phase où les parents représentent l'autorité suprême.

Les dessins de l'enfant s'avèrent humoristiques.

Et c'est durant cette phase qu'il réalise son appel sexuel, l'œdipe tel qu'on le connaît.

## De sept à douze ans pour les garçons et de six ans et demi à dix ans pour les filles : phase de latence

Cette phase n'est plus symbiotique qu'à 25%, et sadique à 50% physiquement, affectivement et intellectuellement. L'agressivité physique de l'enfant diminue progressivement.

L'enfant corrige immédiatement son acte sadique. Après avoir dit à sa mère : « tu n'es pas belle ! », il ajoute immédiatement : « c'est une farce ! ».

Il apprend la loi des groupes. Il accepte d'être le deuxième ou le troisième. Il accepte de jouer en groupe et de participer aux activités scolaires collectives, tout en faisant valoir son point de vue et en acceptant celui des autres. Il respecte les lois de cette minisociété différente de celle de la famille. Il accepte davantage le COMPROMIS, car il maîtrise une notion plus souple des valeurs.

Il recherche la COMPARAISON plus subtile et, de ce fait, la déification parentale en prend un coup.

C'est la période du semi-concret. On dit qu'« il peut lire entre les lignes ». Il peut garder un secret. Il acquiert « le sens de l'honneur ».

Il peut se bâtir un monde en dehors de la famille, avec d'autres êtres humains.

L'enfant apprend à différencier les nuances majeures situées entre le centre et les extrêmes.

## De douze à dix-huit ans pour les garçons et de dix à dix-huit ans pour les filles : phase de l'adolescence

Cette phase est symbiotique à 12,5%, et sadique à 25% physiquement, affectivement et intellectuellement.

Le sadisme physique et l'agressivité verbale à l'égard de la mère ont en grande partie disparu ; la mère ne subit plus que de légers frôlements de la part de son enfant. L'adolescent, plus raffiné, dit à sa mère : « il est temps que tu ailles chez le coiffeur ! » ou : « il est temps que tu te mettes au régime ! » au lieu de : « tu n'es pas belle ! » ou : « tu es trop grosse ! ». Le sadisme physique et l'agressivité verbale sont plus prononcés avec les amis qu'avec la mère.

C'est la phase d'apprentissage des nuances les plus subtiles entre les extrêmes des valeurs corporelles (tenue vestimentaire, sports, conditionnement physique, voyages), des valeurs affectives (taquineries, amitié), des valeurs intellectuelles (formes de connaissance, humour) et des valeurs supérieures (artistiques, religieuses, philosophiques).

## De dix-huit ans à trente-trois ans pour le garçon et de dix-huit ans à vingt-trois ans pour la fille : phase d'identification avec son environnement

C'est une phase symbiotique à 6,4%, et sadique à 12,5% physiquement, affectivement et intellectuellement.

C'est la phase de décantage de la personnalité avec remise en question du « bagage » antécédent et fixation des images inconscientes non résolues. C'est aussi l'époque de l'intégration à la société adulte par l'activité professionnelle et le mariage.

## Adulte : phase de perfectionnement de l'équilibre personnel avec son environnement

Il y a absence totale de symbiose et de sadisme physique, affectif ou intellectuel.

C'est la phase de mûrissement, d'accomplissement et de productivité. Les échanges, durant cette période, doivent s'accomplir sur un pied d'égalité et non selon un mode de domination.

* .* *

## Les relations amicales : l'amitié et l'entente

*Car en amitié, toutes pensées, tous désirs,*
*toutes attentes naissent sans paroles*
*et se partagent dans une joie muette.*

Khalil Gibran

### — Définition de l'amitié

L'amitié entre deux personnes se définit par un état de bien-être respectif à tous les niveaux, en dehors de la notion d'espace-temps, cet état de bien-être respectif exigeant la concordance mais non la communication verbale.

## — Description de l'amitié

L'état de bien-être existe si les deux amis sont aptes à :

- se sentir bien l'un avec l'autre sans être obligés de verbaliser leurs réflexions (corporelles, affectives ou intellectuelles) ;
- vaquer à leurs occupations sans se sentir d'obligation l'un envers l'autre, tout en restant conscients, prévenants, inlassables et tendres dans leurs réponses à ses besoins ;
- se manifester une confiance absolue et se pardonner tous leurs écarts (à moins d'une gaffe monumentale) ;
- sentir que l'autre est là en tout temps, même s'il n'est pas visible et qu'on pourra le retrouver et lui parler dans vingt ans comme si c'était hier.

## — L'origine de l'amitié

Selon moi, l'amitié a pour origine la recherche inconsciente de l'état symbiotique entre la mère et l'enfant intrautéro. Voici quelques points communs à ces deux relations :

- la communication non verbale. Il n'y a pas de recherche de l'amitié si la relation intra-utéro a été déficiente (dans les cas « d'autisme » et « d'hyperactivité » par exemple).
- la concordance des types de profils (auditif + auditif, visuel + visuel). On retrouve cette concordance dans l'amitié et dans la relation mère/enfant intrautéro, la mère adoptant le profil préférentiel de l'enfant qu'elle porte ;
- les sentiments de tendresse, de délicatesse, de prévenance, de fidélité, de véracité qui s'éveillent en nous ;

54

— les sentiments de douceur, de sincérité et de respect qui caractérisent les contacts corporels et les échanges intellectuels.

— l'absence de notion d'espace-temps. Cette notion ne se développe qu'à partir du délai de la réponse donnée à l'enfant intra-utéro (qu'il manifeste par ses mouvements brusques ou sa totale immobilité).

## — Amitié et relation sexuelle

Enfin, il faut faire remarquer que la relation d'amitié exclut totalement la relation sexuelle ; en effet celle-ci déstabilise la relation d'amitié en y introduisant une attitude de convoitise.

Essayons maintenant d'établir la différence entre l'amitié et l'entente.

## — Définition de l'entente

L'entente entre deux personnes se définit par l'acceptation d'un état de bien-être limité, situé dans le temps et l'espace, qui exige d'avoir un but commun et de maintenir un contact soutenu faute duquel l'entente cesse.

## — Description de l'entente

À la relation d'amitié, qui s'établit entre des personnes de profils identiques, correspond la relation d'entente entre des personnes de profils complémentaires.

Habituellement, dans cette relation, les personnes se montrent agréablement surprises de leurs propres réactions et des réactions de l'autre, que ce soit dans leurs approches corporelle, affective, intellectuelle, sociale ou autres.

Elles prévoient difficilement les besoins et les plaisirs de l'autre. Toutes deux doivent continuellement expliquer leurs comportements différents et accepter ceux de l'autre, après avoir « constaté » qu'il leur est impossible de les modifier. Ceci explique la tolérance entre les enfants de profils complémentaires et entre les conjoints.

En établissant un but commun, les personnes impliquées débattent de la modalité espace-temps, et leur entente peut être ou non tacite. Les buts peuvent être variés : mariage, cohabitation, désir d'avoir des enfants, activité professionnelle, voyage ou toute autre activité sportive, artistique ou communautaire. Souvent, l'entente cesse d'elle-même, tout dépendant des « clauses du contrat ».

## — L'origine de l'entente

Cette recherche de l'entente pourrait trouver son origine en partie dans le comportement de la mère enceinte face aux individus de profil complémentaire.

Cette notion se confirme surtout par l'attitude du parent de profil complémentaire répondant à « l'appel au complément » de l'enfant.

La dimension sociétaire de l'entente se forme à partir des relations entre les parents et leurs enfants de profils complémentaires.

## — Conclusion

Idéalement, le climat émotif de l'entente devrait être celui de l'ÉTONNEMENT plutôt que celui de la COMPLICITÉ ainsi qu'on l'entend dans l'amitié.

\* \* \*

# Les six appels

Durant chaque phase de son développement, « lune de miel » exceptée, l'enfant accomplit 6 appels différents. (Le premier « appel sexuel » ne se manifeste qu'à l'âge de deux ans.)

Le début de chaque phase, immédiatement précédé d'un stade d'angoisse de quinze jours, s'avère très critique. La mère doit donc, lorsqu'elle est EN PRÉSENCE de son enfant, faire passer celui-ci avant tous et tout, et répondre immédiatement à tous ses appels. Son enfant doit passer avant son interlocuteur au téléphone, avant son mari, avant ses autres enfants et, pourquoi pas, avant le pape ou le Premier ministre. L'enfant exige alors un amour absolu pendant une période de un à deux mois que j'intitule :

## 1. « L'appel à la mère »

Il s'accomplit toujours avec la mère.

L'enfant de profil visuel va dans une autre pièce et, après une réalisation timide, crie « maman ! ». Après avoir placé deux blocs l'un sur l'autre ou réalisé un dessin, il lance son appel.

L'enfant de profil auditif, au lieu de crier « maman ! », fait plutôt du bruit, se plaint, ronchonne ou marmonne. Il faut que la mère soit très consciente de cette forme d'appel propre à l'enfant de profil auditif.

L'enfant, qui ne peut fonctionner à la « hauteur » du monde adulte, ramène l'adulte à son niveau. Il exige ainsi que sa mère se déplace vers lui ; il requiert sa compréhension et son accord lorsqu'elle le valorise.

C'est pourquoi la mère doit répondre IMMÉDIATEMENT à l'appel de son enfant et se pâmer littéralement devant les « merveilles » accomplies, comme elle le fait devant le premier sourire de son nouveau-né ou les premières selles de l'enfant dans son petit pot.

Elle doit répondre à cet appel en valorisant l'enfant sur les trois niveaux : corporel, affectif et intellectuel, tout en le caressant.

« Comme tu es intelligent ! »

« Comme je t'aime ! »

« Comme tu es agréable ! »

En multipliant des actes valorisés par sa mère, l'enfant prend de plus en plus conscience de sa valeur et se sent à un certain moment presque l'égal de sa mère. Il cesse alors de l'appeler et va plutôt vers elle lui montrer ses « chefs-d'œuvre » ou lui demander conseil pour les terminer. Quand l'enfant décide d'aller voir sa mère au lieu de l'appeler, on peut affirmer que la réponse de la mère face à l'appel de son enfant est excellente. L'enfant éprouve d'ailleurs toujours de la reconnaissance pour elle, et n'essaie pas de la dominer mais plutôt d'échanger avec elle. Il devient un enfant « donnant », et non « accaparant », saturé et débordant de la valorisation transmise par sa mère sur les trois niveaux. En effet, c'est elle qui, en bonne partie, lui permet d'être ce qu'il est ou ce qu'il deviendra. Il devra d'ailleurs répéter cet appel dans les phases suivantes.

Cet appel à la mère n'est entaché d'aucune réaction négative si la mère y répond bien.

Par la suite, l'enfant répétera spontanément cet appel à n'importe quel niveau selon ses besoins du moment. Il garde sa mère en réserve, avec la confiance d'obtenir une réponse adéquate de sa part, puisqu'elle a répondu de façon maximale au début de la phase. À l'inverse, si la mère a besoin de son enfant et l'appelle, il répond de plein gré au niveau d'appel de celle-ci.

La mère, en répondant à l'appel de l'enfant, « autorise » celui-ci à se servir de son profil de base. L'enfant développe ses capacités au maximum si « l'autorisation » est donnée d'une façon optimale à tous les niveaux.

## 2. « L'appel au complément »

Il débute environ quinze jours après « l'appel à la mère ».

Il s'accomplit avec le parent de profil complémentaire. Si l'enfant est de profil visuel, il accomplit son « appel au complément » avec son parent de profil auditif, quel que soit le sexe de ce dernier ; si l'enfant est de profil auditif, c'est le parent de profil visuel, qui répond à son « appel au complément ».

58

On peut alors avoir l'impression que l'enfant accomplit son « appel sexuel », s'il s'adresse au parent du sexe opposé. Mais c'est un faux « appel sexuel », celui-ci n'apparaissant que beaucoup plus tard dans la phase.

Si le garçon accomplit son « appel au complément » avec son père, il va parfois jusqu'à le lécher. Si le père le repousse, l'enfant se sent dévalorisé dans son corps et peut, par la suite manifester des déficits à ce niveau. Le besoin de l'enfant de lécher son père est sans rapport avec l'homosexualité (ceci fera l'objet d'une autre publication).

Si c'est la mère qui présente un profil complémentaire, elle répond, par le fait même, simultanément aux deux appels : « l'appel à la mère » et « l'appel au complément ».

« L'appel au complément » doit lui aussi s'accomplir sur les trois niveaux : corporel, affectif et intellectuel, sinon l'enfant risque de développer des attitudes négatives (voir « L'appel au secours »).

Le manque à répondre à « l'appel au complément » et à « l'appel à la mère » est responsable des multiples facettes du narcissisme de l'adulte.

En cas d'absence du père, « l'appel au complément » peut s'accomplir de façon suffisante avec la mère, même si celle-ci est de profil identique à celui de l'enfant. En effet, les capacités de métamorphose de profil, propres à la femme durant trois jours de son cycle menstruel, mettent en relief son profil secondaire. Elle répond mieux si elle est bien consciente de ce phénomène et si elle accepte de bien jouer son rôle.

Si le parent de profil complémentaire a bien répondu à son appel en début de phase, l'enfant n'y a recours qu'en cas de besoin et n'en abuse pas. Réciproquement, l'enfant répond avec diligence et bienveillance aux différentes demandes de son parent de profil complémentaire.

À travers « l'appel au complément », l'enfant apprend à utiliser son profil secondaire et, par conséquent, à utiliser son hémisphère cérébral complémentaire ! S'il est de profil auditif (hémisphère cérébral gauche préférentiel), il met en valeur son profil visuel (hémisphère cérébral droit non préférentiel), et inversement s'il est de profil visuel.

Si le parent de profil complémentaire répond bien à son appel, l'enfant l'imite en tout point et acquiert la capacité d'utiliser son profil secondaire sur les trois niveaux, de façon maximale ou non selon le degré d'« autorisation » accordé.

### 3. « L'appel à l'amitié »

Il s'accomplit après les deux premiers appels.

Il se manifeste, chez l'enfant, par une recherche de la concordance, de préférence avec le parent de profil identique (visuel + visuel, auditif + auditif). L'enfant inclut dans sa liste d'amis celui de ses parents qui a le même profil que lui. Ainsi, la petite fille peut inviter son père au restaurant pour prendre un café et jaser avec lui. L'enfant insiste pour que le parent de profil identique au sien s'implique dans ses jeux avec ses amis.

« L'appel à l'amitié » peut aussi se parfaire avec la mère au profil de base complémentaire, toujours à cause de sa capacité de métamorphose : elle acquiert le même profil que son enfant pendant trois jours de son cycle menstruel.

La qualité de relation d'amitié avec ses amis est généralement la même que celle qu'il entretient avec son parent de profil identique : excellente ou boiteuse.

Cet appel doit aussi s'accomplir sur les trois niveaux : corporel, affectif et intellectuel.

### 4. « L'appel aux jeux »

Cet appel se manifeste par la taquinerie, l'agacerie et l'humour.

Il s'accomplit avec les deux parents, et conduit à l'apprentissage de la connaissance d'autrui et à la maîtrise des deux profils, à travers des « jeux de société ». L'enfant apprend à ajuster ses forces à celles des autres et à composer avec les limites qu'on lui impose. Il en vient à mieux se connaître, à se voir à travers le regard d'autrui et non à travers le sien seul.

« L'appel aux jeux » doit s'accomplir sans domination, ni exagération et sans trop de permissivité de la part des parents. Ceux-ci doivent répondre au niveau d'appel de l'enfant, avec plus de douceur que l'enfant et en gardant toujours une « juste mesure ».

La mère, à cause de ses capacités de métamorphose de profil, peut répondre à cet appel, quel que soit le profil de l'enfant, et tant qu'elle peut réagir adéquatement.

« L'appel aux jeux » doit s'accomplir sur les trois niveaux : corporel, affectif et intellectuel.

## 5. « L'appel sexuel »

Il s'accomplit lors de chaque phase, à partir de l'âge de deux ans, et selon un niveau de conscience toujours plus « subtil ». Il débute habituellement au milieu des phases.

Chez l'enfant de deux ans, cet appel est frustre ; il s'exprime plutôt par la recherche et l'identification pragmatique des deux sexes, et à travers la notion intuitive de procréation. En effet, à deux ans et demi, l'enfant peut, à l'aide de dessins, s'identifier, et identifier ses parents, par le choix de couleurs différentes et appropriées.

L'œdipe, lui, (l'appel sexuel situé vers l'âge de 5 ans) s'accomplit avec le parent du sexe opposé, mais seulement si celui-ci a un profil complémentaire (auditif + visuel) ; dans le cas contraire, il s'accomplit, si possible, avec un substitut du sexe opposé et de profil complémentaire qui peut être le grand-père ou la grand-mère, le voisin ou la voisine, le professeur, la tante, le grand frère ou la grande sœur, etc.

Malgré tout, un « appel sexuel » partiel et probablement suffisant se joue entre le fils et la mère de profils identiques. Ceci à cause de la particularité de métamorphose de profil de la femme (voir chapitre suivant).

La fille de même profil que son père, qu'elle soit ou non en présence d'un substitut masculin de profil complémentaire, résout son « appel sexuel » en attribuant à son père les capacités de métamorphose de la femme. Si son père et elle sont de profil auditif, elle lui confère inconsciemment tous les attributs du profil visuel. Comme on le verra plus loin, elle intervertit les couleurs de base de ses parents : le père devient jaune (couleur symbolisant la femme) alors que la mère est en bleu (couleur symbolisant l'homme). En agissant ainsi, la fille intervertit uniquement les profils, non les sexes. Le garçon utilise le même stratagème dans les mêmes circonstances, en plus de profiter des trois jours où sa mère a un profil complémentaire au sien.

— Face au rival

Lors de cet appel, l'enfant ignore délibérément son parent de sexe identique, se montre jaloux, et parfois même agressif envers lui. Le parent concerné doit éviter de provoquer l'enfant et accepter de se tenir un peu à l'écart lorsque tous deux se trouvent en présence de l'être aimé. Il doit aussi continuer à manifester tendresse, considération et affection envers son enfant, que son conjoint soit présent ou non, afin de diminuer l'angoisse de l'enfant.

— Face à l'être aimé

L'enfant n'est qu'amour, prévenance et délicatesse envers l'être aimé. Après avoir constaté que la résolution de « l'appel sexuel » compte pour beaucoup dans la disparition du sadisme de l'enfant, je suis persuadé que la qualité de ses futures relations amoureuses sera comparable à la qualité des relations qu'il a vécues avec ses parents ou leur substitut. Ses relations amoureuses refléteront ce que ses parents, ou leur substitut, lui ont permis d'atteindre ou d'entrevoir.

L'enfant tente immanquablement de toucher les organes sexuels de l'être aimé, inconsciemment ou non. L'adulte se doit d'arrêter le geste de l'enfant, doucement, sans brusquerie, et sans remarque méchante. Il doit plutôt caresser ou serrer fort l'enfant, en lui disant qu'il l'aime. Au bout de deux ou trois tentatives, l'enfant comprend un certain nombre de messages : • il existe un interdit sexuel avec son parent ; • celui-ci lui conserve un amour total à tous les autres niveaux ; • il existe une fidélité sexuelle entre les deux conjoints ; • on peut réfréner ses pulsions sexuelles en les sublimant aux autres niveaux à travers des activités sportives, professionnelles, intellectuelles ou sociales, à travers l'amitié, la tendresse, etc.

En phase de latence et d'adolescence, l'enfant recherche hors du foyer les réponses à son « appel sexuel », puisqu'il a compris qu'il est impossible de vivre cet amour à l'intérieur du cadre familial.

## 6. « L'appel au secours »

Cet appel de l'enfant est une forme de réaction signifiant que ses besoins essentiels ne reçoivent pas une réponse adéquate, tant au niveau corporel, qu'affectif, intellectuel, social ou autre.

La gravité de l'appel correspond à l'ampleur du déficit que l'enfant a subi. L'enfant, dans la manifestation de son appel, peut même aller jusqu'au suicide si le déficit s'avère très grave.

— Chez l'enfant de moins de neuf mois

Cet appel se manifeste surtout par l'isolement, les pleurs, l'agitation, l'insomnie et des manifestations somatiques comme les vomissements, les coliques, les gaz, les odeurs corporelles spécifiques (haleine, etc.), le refus de participer, etc.

À cet âge, l'enfant ne manifeste jamais d'agressivité de façon spontanée. Il ne peut qu'être, tout au plus, le reflet de l'agressivité des autres. Il imite sa mère en faisant de gros yeux à son père lorsque celui-ci manifeste de l'agressivité envers sa mère.

— De neuf mois à dix ans pour les filles et
de neuf mois à douze ans pour les garçons

« L'appel au secours » peut se manifester par l'affrontement ou l'indifférence, selon le niveau de privation que l'enfant a subie. La dévalorisation corporelle amènera une réaction corporelle de la part de l'enfant : bris, mauvais coups, traîneries, batailles, etc.

En général, la principale caractéristique de cet appel est que l'enfant persiste à appeler ! Si la mère répond mal à « l'appel à la mère » de son enfant de deux ans et demi, celui-ci continue de l'appeler parfois jusqu'à l'âge de six ans. Il finit alors par se taire de découragement, faute d'obtenir une réponse. De plus, il désire probablement par ce silence temporaire donner plus de contraste et de poids à ce même appel qu'il doit répéter lors de la phase suivante.

S'il ne peut identifier la cause de son déficit, l'enfant devenu adulte, sera porté, en présence de ses parents, à réactiver la relation parent-enfant ; ceci étant une recherche inconsciente de la réponse à ses appels, dans le seul but de combler ses déficits.

Souvent, l'enfant manifeste ouvertement son déficit à ses parents en leur disant : « papa ne m'aime pas ! », « papa ne s'occupe pas de moi ! », etc. Si le thérapeute, en qui il a confiance, l'interroge : « tes parents te caressent-ils ? », l'enfant répond toujours avec franchise qu'ils ne le font pas, souvent à la grande surprise des parents ! Ceux-ci croient habituellement que l'enfant n'a pas besoin d'être valorisé à ce niveau déficitaire.

— À l'adolescence

Les réactions négatives peuvent alors changer de niveau, de façon à punir le parent privatif au niveau qu'il valorise le plus. Si le parent valorise l'enfant au niveau intellectuel mais le dévalorise au niveau corporel, l'adolescent prend un malin plaisir à mal réussir à l'école. S'il rapporte de très bonnes notes en alternance avec de très mauvaises, c'est pour montrer à son parent qu'il peut être excellent ou médiocre intellectuellement, et réfléter la même alternance dans son potentiel corporel négligé.

— Autres manifestations

Voici d'autres manifestations caractéristiques de « l'appel au secours » : fugue, besoin de drogue, état dépressif, agressivité, inversion dans l'écriture et la parole, dysarthrie et maladies comme l'acné, l'eczéma, l'asthme excessif, la migraine, le psoriasis, etc.

Cet appel se manifeste parfois par une réaction positive extrême en dehors du foyer et une réaction négative tout aussi extrême à la maison, de façon à bien démontrer aux parents que l'enfant peut accomplir beaucoup et leur révéler ainsi sa soif d'être aimé en tout.

Dans le cas où « l'appel au secours » se manifeste à cause d'une déficience propre au parent de profil identique, l'enfant est inconsciemment porté à s'identifier à celui-ci. Mais il réagit à cette déficience par la fuite, l'agressivité ou la passivité. (voir chapitre « Les dévalorisations les plus communes. »

Cet appel peut aussi se manifester face aux autres déficiences des parents : dépression, violence, etc. (Ce sujet fera l'objet d'une autre étude.)

\* \* \*

## Les quatre stades internes

Chaque phase se décompose en quatre stades.

### 1. Le stade d'angoisse

Avant d'entrer dans une phase, l'enfant présente un stade d'angoisse de quinze jours environ.

### 2. Le stade des appels

Puis, surviennent « l'appel à la mère » et, presque simultanément (dans les semaines suivantes), « l'appel au complément » ; suivent les autres appels.

### 3. Le stade de silence et d'apprentissage

Par la suite, il s'établit un stade de SILENCE (absence d'appels) plus ou moins long, correspondant à la durée de la phase où l'enfant se situe. Comme la phase de neuf à trente mois est plus courte que la phase de sept à douze ans, la durée du SILENCE sera proportionnellement plus courte dans la phase de neuf à trente mois.

Durant cette période, l'enfant accomplit son apprentissage. Il est inutile de « le pousser dans le dos » ! Il suffit de respecter son rythme ; par contre, il faut lui fournir les outils correspondant à cette phase.

Il répète occasionnellement ses différents appels, selon ses besoins, son approche et son rythme, ce qui lui permet d'atteindre un développement maximal à tous les niveaux.

L'enfant de profil visuel préfère apprendre seul et par expérimentation (exploration des alternatives et répétition des gestes) jusqu'à ce qu'il soit satisfait du résultat.

L'enfant de profil auditif préfère apprendre en observant une autre personne en action ; il aime avoir de l'aide. Il cherche à identifier toutes les variables avant d'entrer en action. Il se montre par la suite routinier et systématique.

## 4. Le stade de consolidation

Vers la fin du stade de silence de chaque phase, il existe un STADE DE CONSOLIDATION d'une durée proportionnelle à celle de la phase en question (de six mois à deux ans environ). L'enfant apprend à utiliser avec aisance tout ce qu'il a appris dans cette phase. Il se montre alors très autonome, selon le degré d'autonomie propre à cette phase. À la toute fin du stade, il se repose avant de vivre l'angoisse précédant la phase suivante.

\* \* \*

## Commentaires

### — Les appels à tout âge

Il est important de se souvenir que l'enfant répète ses appels au début de chaque phase, et que les parents doivent y répondre à chaque fois. Lorsque l'enfant est âgé et répète ses appels après une longue période de silence, on peut avoir l'impression fausse que l'enfant régresse.

### — Les faux arrêts de développement

Cette période de silence peut facilement durer cinq ans, selon la phase. Il arrive alors que les parents négligent de répondre aux appels des dernières phases, croyant que l'enfant est suffisamment autonome ou qu'il ne s'agit que d'une régression. Ils ne se « pâment » plus devant l'enfant, ne le valorisent plus. Dans les trente premiers mois de sa vie, l'enfant se colle spontanément à sa mère parce qu'il est encore « animal » (l'enfant peut prendre spontanément, à plusieurs reprises la main de sa mère pour s'en caresser le bras). Plus âgé, il cesse de le faire et c'est alors aux parents de faire le premier pas vers l'enfant.

## — Les arrêts de développement

Parfois, les parents négligent de répondre à un ou plusieurs appels de leur enfant parce que celui-ci a atteint l'âge où leurs propres parents ont refusé ou négligé de leur répondre. Ils peuvent aussi ne pas répondre à l'appel pour diverses raisons : maladie, vie professionnelle accaparante, déménagement, nouveau bébé, etc. L'enfant subit alors un arrêt complet de son développement et reste au stade où il a obtenu une non-réponse ; il peut même régresser à la phase précédente. Cet arrêt de développement peut facilement durer un an et demi avant que l'enfant n'émette son « appel au secours », car il respecte les bonnes raisons de ses parents ; mais « l'appel au secours » sera aigu, évident !

## — Les substituts

Lorsque les parents sont peu disponibles, par exemple dans les familles nombreuses, l'enfant recherche une réponse à ses appels chez un substitut : oncle, tante, grand-parent, frère ou sœur, voisin, etc. Il obtient souvent une réponse, mais jamais aussi bien adaptée que celle que ses parents biologiques auraient pu lui apporter. L'enfant reste limité dans ses capacités et ressent toujours un déficit en lui.

## — La notion d'espace-temps

La notion d'espace-temps se forme en partie à travers les réponses des parents aux appels de l'enfant.

En premier lieu, cette notion se développe en fonction de la célérité des parents à répondre à l'appel de l'enfant dans le temps et dans l'espace. Si la réponse est longue à venir malgré la proximité de l'enfant, sa perception du temps et de l'espace « s'étire ». Si la réponse est rapide malgré l'éloignement de l'enfant, sa perception du temps et de l'espace se « comprime ». S'il obtient des réponses adéquates, l'enfant devenu adulte se sentira proche de ceux qu'il aime malgré l'éloignement, ne « calculera » plus son temps et ne craindra pas de s'éloigner. Il saura attendre et ne paniquera pas s'il doit accomplir simultanément plusieurs actions ou s'il doit agir rapidement.

En second lieu, il ne faut pas négliger la quantité et la qualité du temps passé près de l'enfant lors des réponses de ses parents à ses besoins de tout niveau. Grâce à une réponse adéquate, l'enfant développe une capacité d'écoute et d'échange à toute épreuve, et à tous les niveaux. Il peut se sentir bien n'importe où et réussir à tout accomplir en un temps donné sans ressentir de stress.

En dernier lieu, il faut s'attendre à ce que l'enfant teste ses parents en les appelant lorsqu'ils sont occupés (par exemple, lors d'une conversation téléphonique). Ce test, s'il est réussi, c'est-à-dire lorsque les parents répondent adéquatement, assure à l'enfant que sa notion d'espace-temps est indestructible.

Non actualisée au début de la grossesse, la notion d'espace-temps se développe progressivement à chaque nouvelle phase. Elle correspond à celle que les parents ont permis à l'enfant d'acquérir, suivant que leurs réponses à ses appels ont été plus ou moins rapides et plus ou moins complètes. Une réponse parfaite des parents permet à l'enfant d'assouvir son désir de l'état de symbiose tel qu'il existait durant la période intra-utéro, et d'intérioriser une notion d'espace-temps fonctionnelle et harmonieuse.

#### — Résultats d'une bonne réponse

Si les parents répondent bien dès le début de chaque phase aux différents appels de l'enfant, et sur les trois niveaux (corporel, affectif et intellectuel), l'enfant se développe de façon harmonieuse et devient un adulte bien intégré, heureux et immunisé contre les influences négatives du milieu social environnant. Il s'accomplit sans rejeter ses parents et sans réactions négatives (« appels aux secours »). Il devient prévenant, doux, câlin, patient, tolérant, non jaloux, ordonné, agréable de compagnie, travailleur, taquin, confiant, spirituel, obéissant, joyeux, coopératif, etc. Il est donc presque toujours positif dans ses attitudes et développe ses possibilités au maximum, sans qu'il soit nécessaire de le pousser ou de le remorquer.

N.B. Tous les phénomènes décrits dans les tableaux VI à XIII (sentiment, autonomie, etc.) SE JOUENT À CHAQUE PHASE, de façon très frustre au début pour atteindre les raffinements les plus subtils à l'adolescence. Pour de plus amples détails sur ces différentes phases, vous pouvez consulter les ouvrages déjà mentionnés.

## — Pour punir l'enfant

Il faut toujours tenter de punir l'enfant de façon POSITIVE : on peut le priver tout en demeurant positif, pour qu'il sache bien qu'on l'aime toujours. Ne lui donner que deux baisers au lieu de six, le priver de la première partie de son programme de télévision préféré et non de la dernière. Ne pas le mordre s'il vous mord, mais le « mordre » du bout des lèvres ou le tenir à bonne distance.

En cas d'écart grave, d'affrontement, de récidive ou de refus de se plier à la loi du groupe, on peut lui demander de rester seul, pour un temps limité (en fonction de sa compréhension du temps), dans sa chambre (sa « maison », son refuge) : il comprendra le message. C'est une punition NEUTRE.

La punition NÉGATIVE, la fessée par exemple peut être admise en cas de DANGER POUR LA VIE de l'enfant ou celle des autres. Il s'agit ici de toutes les « vies » : corporelle, affective, intellectuelle, sexuelle, sociale, etc. Par exemple, si l'enfant met le feu sous le perron du voisin.

Toute punition (positive, neutre ou négative) doit être exécutée sans sadisme, sans malice, avec calme et respect de la part de l'adulte, uniquement parce qu'il se doit de le faire. Un bon policier ne se contente-t-il pas de vous arrêter, de vous signifier sans agressivité votre infraction et de vous donner votre contravention ?

### — La latitude à donner à l'enfant

Il faut que les parents comprennent bien que le dressage ne s'adresse pas à l'être humain. Il faut laisser l'enfant se rendre au bout de ses limites, tant qu'elles ne sont pas dangereuses pour lui ni pour les autres. Il faut le laisser imiter et expérimenter, quitte à le rappeler à l'ordre si on se rend compte qu'il devient conscient de son exagération ou si les parents jugent que c'est suffisant. Il faut éviter la domination ou la trop grande permissivité. L'enfant apprend à situer « le juste milieu » si les parents ont une certaine notion (ou s'ils l'apprennent en thérapie).

De prime abord, l'enfant ne pense qu'à aimer, à plaire ou à rendre service, et il s'attend à une certaine réciprocité. Si un dilemme se pose à lui, l'enfant se réfère habituellement à ses parents ou à un adulte responsable. L'erreur fait partie de l'apprentissage, et il vaut mieux se tromper en voulant bien faire que de ne rien faire pour être sûr de ne pas se tromper. On peut donner à l'enfant des responsabilités proportionnelles au stade de sa phase de développement, mais il revient d'abord aux parents d'en juger ; les éducateurs devraient se montrer plus attentifs à l'opinion des parents.

### — Face à un désaccord profond

En cas de DÉSACCORD PROFOND entre les deux parents sur l'attitude à adopter face à l'enfant, il faut suggérer aux deux parents d'adopter sans condition l'attitude de l'autre, alternativement et irrégulièrement, de façon à éviter que l'enfant ne les manipule et de façon à faire prendre conscience aux deux parents de leurs rôles différents dans l'éducation de l'enfant. Dans un cas semblable, on peut soupçonner que les deux parents sont atteints de dévalorisations complémentaires et de déficits équivalents plus ou moins graves. Dès que le thérapeute aura identifié et traité ces problèmes, les parents tomberont d'accord sur l'attitude à adopter face à l'enfant. L'enfant a besoin de sécurité pour se développer, il lui faut une « vérité unique », avec des variantes ; les doubles vérités, les dilemmes et les ambivalences provoquent en lui une insécurité.

## Conclusion

Si la mère et le père répondent très bien, aux trois niveaux, à tous les appels de l'enfant, celui-ci agira seulement de façon positive, c'est-à-dire qu'il fonctionnera du côté positif de l'amour, uniquement entre le zéro et le maximum positif, et selon une vitesse de croisière qu'il établira entre ces deux points.

Si parfois l'enfant qui se développe harmonieusement semble négatif (par exemple en disant à quelqu'un qui l'ennuie : « je te hais ! », « je ne t'aime pas ! »), c'est uniquement pour priver l'autre de son amour et lui signifier qu'il n'a pas besoin de l'amour d'autrui, car il en a lui-même en trop. Ce n'est pas qu'il se sente dévalorisé, mais il croit que l'autre ne mérite pas son amour.

Il ne veut rien savoir des influences négatives et ne s'impose pas de limite du côté positif. Il peut même, par exemple, sublimer son œdipe au maximum : dans ce cas, on ne détecte pas de noir dans ses dessins. Il s'abstient de toute forme de sadisme ou de mesquinerie dans ses amitiés, ses jeux et ses autres relations humaines ou environnementales. Il se développe de façon presque parfaite.

Cet enfant est prêt à devenir un adulte sain, équilibré et autonome, à quelque niveau que ce soit.

# LES MÉTAMORPHOSES DE PROFIL DE LA FEMME

Depuis toujours, la femme reste un mystère pour l'homme et pour elle-même. Dans la relation homme-femme, l'homme qualifie la femme d'« imprévisible », il se tient souvent sur ses gardes et ne lui parle plus parce qu'il ne la comprend plus. Dans ce cas, la femme réagit : « Comment se fait-il que je te comprenne alors que tu ne me comprends pas ? ». Lorsqu'elle est enceinte, pourquoi l'homme ressent-il le besoin de lui manifester plus de tolérance et d'accepter, sans trop poser de questions, ses changements d'humeur, ses nouveaux goûts alimentaires, ou ses réactions d'adolescente et ses changements de comportement ?

Pourquoi les femmes peuvent-elles, certains jours, se confier des vérités qui semblent dures à l'homme, et pourquoi ne le font-elles pas certains autres jours ? Pourquoi entretiennent-elles des amitiés avec certaines femmes durant certaines périodes seulement ?

Pourquoi la femme se montre-t-elle plus « empathique » envers l'enfant ? L'homme peut-il atteindre cette sagacité ?

Que devient le comportement de la femme après la ménopause ?

Quelles sont les conditions propices au développement de l'amitié entre l'homme et la femme ?

73

La femme peut-elle privilégier son profil secondaire pendant une longue période ?

Que se passe-t-il donc de si mystérieux en elle qui puisse déclencher, chez certains hommes, une idéalisation positive ou négative ?

Pourquoi agit-elle parfois en adolescente ?

On ne saurait apporter de réponses pertinentes à toutes ces questions sans étudier les capacités peu ordinaires de métamorphose de profil de la femme adulte. En effet, la femme possède au moins trois « personnalités » différentes selon certaines phases de son cycle menstruel, ces « personnalités » étant reliées à son profil de base, auditif ou visuel.

Ces capacités de métamorphose de profil se manifestent aussi durant la grossesse, (voir « Êtes-vous auditif ou visuel ? »). Si l'enfant porté est de profil complémentaire au sien, elle « prend » le profil de l'enfant ; si l'enfant est de profil identique au sien, le profil de la mère s'accentue et une reviviscence de son adolescence peut se manifester.

Voyons maintenant en quoi consistent les métamorphoses de profil de la femme adulte selon les phases de son cycle menstruel.

## La femme de profil auditif

### — Du 3e jour des règles au 5e jour prémenstruel : comportement d'adulte de profil auditif

C'est la période de plus grande stabilité. Toutefois, ce degré de stabilité dépend de ses acquisitions et de sa formation passée. Si la femme est bien autonome, elle entretient alors avec son mari une relation d'égalité, et non une relation de domination. Avec les enfants, elle se comporte en femme adulte responsable et équilibrée : ni dominante, ni permissive, ni répulsive ou indifférente, elle manifeste une attitude dite « du juste milieu ». Elle recherche l'amitié des personnes de son profil.

Durant cette période elle répond à :

« l'appel à l'amitié » de ses enfants de profil auditif ;

« l'appel au complément » de ses enfants de profil visuel ;

« l'appel sexuel » de ses fils de profil visuel ;

« l'appel à la mère » de tous ses enfants ;

« l'appel aux jeux » de tous ses enfants.

## — Les 4e, 3e et 2e jours prémenstruels, période de tension prémenstruelle : comportement d'adolescente de profil auditif.

La femme recherche alors en son mari l'attitude d'un père aimant, sécurisant, compréhensif et non celle d'un mari. En effet, elle se sent plus ambivalente, nerveuse, souvent agitée, soupe au lait, parfois agressive ; elle est moins apte à prendre des décisions et manque de sécurité. Son déclin d'énergie et d'activité s'accompagnent d'un plus grand besoin de sommeil. Des fantaisies d'adolescente peuvent apparaître : goûts alimentaires particuliers, boulimie, etc.

En effet, c'est la période où la femme revit inconsciemment des états de conscience déjà éprouvés pendant son adolescence. Ces trois jours se passeront sans heurts et sans problèmes si elle a vécu une adolescence agréable.

Par contre, si elle a vécu une adolescence malheureuse ou perturbée, elle la revivra tous les mois... à moins qu'elle en prenne conscience ! Certaines femmes se sont ainsi débarrassées de migraine, d'état dépressif grave, de tendance suicidaire, d'idée de fugue, de désir de drogue ou de boisson quand elles se sont rendu compte que ces problèmes relevaient de leur adolescence malheureuse (dévalorisation par un ou les deux parents, inceste, viol, violence, etc.). Cette prise de conscience permet à la femme de bien supporter ces journées prémenstruelles.

Durant cette période, elle répond à « l'appel aux jeux » de ses enfants de tout profil. Elle se sent en harmonie avec eux parce qu'elle est un peu plus à leur niveau.

N.B. La femme de profil auditif, enceinte d'un enfant de profil auditif, se retrouve aussi « adolescente ». La situation devant se prolonger pendant neuf mois, le phénomène est particulièrement grave si cette femme a eu une adolescence malheureuse. Ce qui explique les dépressions prénatale et post-natale (dont je traiterai dans une future publication).

## — Le 1$^{er}$ jour prémenstruel et les deux premiers jours des règles

Durant cette période, la personnalité de la femme adulte de profil auditif présente une brève mais remarquable métamorphose : son profil auditif fait place à son profil visuel. Si on lui fait subir un test d'identification de profil l'un de ces trois jours-là, elle se classera automatiquement « visuelle ».

Elle déborde d'énergie, se montre plus active. Comme une personne de profil visuel, elle réplique du tac au tac et peut accomplir simultanément plusieurs activités. Elle est plus sentimentale, moins caressante, mais plus « mère-poule » avec ses enfants. Elle devient plus casanière, plus soucieuse de l'ordre, et portée davantage sur les activités ménagères.

C'est sa période favorite pour faire des achats et pour se rendre chez le coiffeur. En effet, c'est la période du mois où elle se trouve belle et où elle s'arrange le mieux. Ses enfants ne s'y trompent pas et le lui disent : « comme tes yeux sont beaux aujourd'hui maman ! ».

C'est le meilleur moment pour dialoguer avec ses enfants de profil visuel. Ceux-ci le ressentent et établissent spontanément la communication.

Puisqu'elle a le même profil que son conjoint, elle le comprend mieux et ce, à tous les niveaux (corporel, affectif et intellectuel) ; elle peut ainsi répondre à son « appel à l'amitié ». Elle apporte la stabilité dans le couple et peut y ramener la paix, si besoin est.

Elle recherche inconsciemment la compagnie et l'amitié des personnes de profil visuel, s'en fait complice et communique avec elles d'une façon ouverte. Elle peut avoir établi certaines de ces relations lors d'une grossesse où elle portait un enfant de profil visuel. En effet, la femme de profil auditif, lorsqu'elle porte un enfant de profil visuel, acquiert ce profil pour toute la durée de sa grossesse. Si sa propre mère est de profil visuel, elle est plus portée à lui rendre visite ou à lui téléphoner pendant les périodes où elle a un profil visuel.

Dans les familles monoparentales, ou dans les cas où le père est absent ou non disponible pour répondre à « l'appel au complément » de ses enfants de profil auditif, la mère peut le suppléer de façon efficace en répondant elle-même durant cette période. Par contre, face aux enfants de profil visuel, elle supplée le père en répondant à « l'appel aux jeux » et à « l'appel à l'amitié ». La mère doit être très consciente que ses enfants de profil visuel établiront avec des individus de même profil des relations d'amitié, de taquinerie ou d'humour identiques à celles qu'elle-même entretient avec eux à ce moment-là. La mère apprend ainsi à ses enfants de profil visuel à communiquer avec les gens de même profil, à les connaître, à les aimer.

Durant ces trois jours, elle répond aussi à « l'appel sexuel » de ses fils de profil auditif.

## La femme de profil visuel

### — Du 3ᵉ jour des règles au 5ᵉ jour prémenstruel : comportement d'adulte de profil visuel

La femme se montre plus ou moins stable, selon ses acquisitions et sa formation passée. Si elle est bien autonome, elle entretient alors avec son mari une relation d'égalité et non de domination. Avec ses enfants, elle se comporte en femme adulte responsable sans se montrer dominante, permissive, indifférente ou répulsive ; elle adopte une attitude dite « du juste milieu ».

Elle recherche l'amitié des personnes de profil visuel. De plus, durant cette période, elle répond à :
« l'appel à l'amitié » de ses enfants de profil visuel ;
« l'appel au complément » de ses enfants de profil auditif ;
« l'appel sexuel » de ses fils de profil auditif ;
« l'appel à la mère » de tous ses enfants ;
« l'appel aux jeux » de tous ses enfants.

## — Les 4e, 3e et 2e jours prémenstruels : comportement d'adulte de profil auditif

De profil visuel, la voici devenue, pour ces trois jours, de profil auditif. Si on lui fait subir un test pour identifier son profil, elle se classera automatiquement « auditive ».

Durant la période prémenstruelle, la femme visuelle, devenue auditive, se montre très active et débordante d'énergie. Comme une femme de profil auditif, elle se révèle plus rationelle, quoique sensible, moins sentimentale, mais plus caressante.

Elle accepte plus facilement le désordre. Elle se maquille moins et s'attache moins aux détails. Ses répliques sont « à retardement » au lieu d'être immédiates. Elle accepte plus facilement les sorties en groupe ou les réceptions.

Elle se sent en meilleur accord avec son mari aux niveaux corporel, affectif et intellectuel, et recherche avec lui les approches qui les mèneront à une meilleure compréhension sexuelle. Elle accepte plus facilement ses façons de voir, ainsi que ses jeux et ses taquineries (en d'autres temps, elle les trouve moins drôles). Cette relation d'amitié avec son mari constitue l'un des éléments essentiels à la stabilité du couple.

Elle recherche inconsciemment à renouer les amitiés anciennes ou nouvelles qu'elle a pu lier avec des personnes de profil auditif. Et si sa propre mère est de profil auditif, c'est le moment qu'elle choisit pour communiquer avec elle, comme elle le faisait enceinte d'un enfant de profil auditif. En effet, la femme de profil visuel acquiert le profil auditif lorsqu'elle porte un enfant de profil auditif, et ce durant toute la durée de sa grossesse et les trois premiers jours après l'accouchement.

Elle répond bien à « l'appel à l'amitié » et communique aisément avec ses enfants de profil auditif. Elle les comprend bien. Elle répond efficacement à « l'appel sexuel » de son fils de profil visuel durant ce court laps de temps. Elle répond à « l'appel aux jeux » de ses enfants de profil auditif.

Dans les familles monoparentales, ou dans les cas où le père est absent ou non disponible pour valoriser ses enfants de profil visuel, la mère peut le faire à ce moment-là. Elle peut répondre avec efficacité à « l'appel au complément » de son enfant de profil visuel si elle se montre bien consciente de ce phénomène, si elle veut bien faire l'effort nécessaire et si elle ne se dévalorise pas. En agissant ainsi, elle lui apprend à connaître et à aimer les gens de profil auditif.

— **Le 1ᵉʳ jour prémenstruel et les deux premiers jours des règles, période de tension prémenstruelle : comportement d'adolescente de profil visuel**

Elle recherche en son mari une attitude de père aimant, valorisant, compréhensif qui s'occuperait davantage des enfants. En effet, elle se sent alors ambivalente, nerveuse, parfois agressive ou agitée. Elle se sent « fatiguée », manifeste une grande baisse d'énergie et un besoin accentué de sommeil.

Cette période reflète sa vie d'adolescente avec tout ce qu'elle comporte d'heureux ou de malheureux. Si la femme en prend conscience, elle peut plus aisément atténuer ces états d'âme et, si elle a vécu une adolescence perturbée, en arriver à supprimer les empreintes négatives.

La femme de profil visuel, enceinte d'un enfant de profil visuel, se retrouve également « adolescente », et peut subir les mêmes contrecoups que pendant ces trois jours.

Enfin, durant cette période, elle répond à « l'appel aux jeux » de ses enfants de tout profil ; elle peut aussi très bien comprendre ses adolescents.

## Après la ménopause

Que se passe-t-il donc chez la femme après la ménopause ? On a déjà beaucoup écrit sur les « troubles hormonaux » qui surviennent pendant et après la ménopause, sur les états dépressifs, les chaleurs, l'atrophie vaginale, etc. Mais je m'en tiendrai ici aux réactions observées reliées au concept de « profil ».

Après la ménopause, la femme perd cette capacité de métamorphose de profil. La femme de profil auditif perd donc la possibilité de privilégier son profil visuel trois jours par mois, et de devenir « adolescente » trois autres jours. La femme de profil visuel perd aussi cette possibilité et demeure « visuelle ».

Après la ménopause, la femme présente donc un caractère unidimensionnel : celui qu'elle présentait du 3e jour de ses règles jusqu'au 5e jour avant ses règles. Elle ne manifeste plus que son profil adulte de base, auditif ou visuel, tout comme l'homme.

Mais, comme l'homme, elle conserve toujours cette possibilité de « devenir adolescente », sous l'effet d'un stress ou lorsqu'elle se regroupe avec des gens du même sexe. Il n'est, certes, pas besoin de décrire ici les comportements adolescents que chacun(e) de nous peut vivre en compagnie de gens de même sexe.

## L'amitié entre homme et femme

Il faut d'abord bien saisir que la notion et la capacité d'amitié se fondent essentiellement sur la relation de l'enfant avec son parent de profil identique. Le type de relation d'amitié que l'enfant établit avec son parent de profil identique (ou avec sa mère les trois jours du mois où elle possède le même profil), détermine le type de relation d'amitié qu'il peut établir avec autrui.

Si la notion d'amitié, quel que soit le sexe, s'apprend avec le parent de profil identique, elle exclut de toute évidence la relation sexuelle. D'ailleurs, en cas d'inceste l'enfant ou l'adolescent(e) perd cette notion de l'amitié.

## — Qu'en est-il de l'amitié entre homme et femme à l'intérieur d'une relation de couple ?

On ne peut parler d'amitié, au sens où je l'entends, dans la mesure où la relation de couple comporte le plus souvent une relation sexuelle. L'homme et la femme se marient d'ailleurs en fonction de la complémentarité de leurs profils respectifs (auditif + visuel).

Je n'ai encore jamais pu observer un couple où l'homme et la femme possédaient un profil identique (auditif + auditif ou visuel + visuel)... mis à part une exception boiteuse où l'homme de profil auditif était parti avec sa belle-sœur de profil auditif ; après quatre mois de vie commune, ils étaient littéralement en train de s'entretuer et ont dû se quitter. Leurs « hauts » et leurs « bas » se renforçaient, alors que dans un couple aux profils complémentaires, ils se tempèrent ; ce qui assure aux partenaires un support mutuel.

Par contre, une brève période d'amitié qui peut s'avérer bénéfique pour le couple, survient lorsque la femme change de profil, c'est-à-dire les 4e, 3e et 2e jours prémenstruels pour la femme de profil visuel, et le 1er jour prémenstruel et les deux premiers jours des règles pour la femme auditive.

Si l'enfant à naître présente le profil du père, on peut observer cette similitude des profils dans le couple pendant la grossesse. Ce phénomène mal compris est cause de plusieurs divorces ; en effet, certains maris, par leur personnalité mal intégrée, ne peuvent supporter un changement de comportement aussi long chez leur compagne. L'homme bien intégré s'ajuste au profil de sa femme en privilégiant son profil complémentaire.

**— La femme, avant la ménopause, peut-elle vivre une amitié profonde avec un homme de profil identique sans mettre son couple en danger ?**

Quand on sait que les femmes surveillent « subtilement » leur mari, et surtout les autres femmes qui l'approchent, même leurs propres amies, et ceci même dans les couples les mieux équilibrés, on est en droit de penser qu'elles ont une bonne raison d'agir ainsi. Laquelle ?

Le fait est que la femme, dans sa relation d'amitié avec un homme de profil identique, se retrouve trois jours par mois avec un profil complémentaire ; elle devient alors sexuellement attrayante pour cet homme et vice versa. La relation d'amitié peut devenir plus... ambiguë. À moins d'être parfaitement conscients de cet état de fait, les partenaires concernés risquent d'aboutir à une rupture définitive de leur lien d'amitié. Plusieurs femmes et plusieurs hommes m'ont fait part de leur regret d'avoir perdu leur ami(e) après avoir succombé à cette attirance sexuelle pourtant bien temporaire.

**— Et après la ménopause ?**

Après la ménopause, l'amitié entre homme et femme, hors du couple, et au sens où je l'entends, peut exister sans difficulté parce que la femme a perdu sa capacité de métamorphose de profil. La femme ne s'y trompe d'ailleurs pas qui montre inconsciemment beaucoup plus de tolérance pour les relations que son mari peut établir avec des femmes de même profil que lui. De son côté, elle est plus souple dans ses relations avec des hommes qui ont le même profil qu'elle.

## La femme qui travaille et la femme au foyer

En général, la femme qui travaille hors du foyer, à temps plein ou à temps partiel, reçoit d'elle-même une image plus valorisante que la femme qui reste à la maison. Mais, qu'il s'agisse de la femme ou de l'homme qui travaille hors du foyer, cette recherche d'une image plus valorisante n'est bien souvent qu'une tentative pour compenser des dévalorisations présentes chez les deux partenaires.

En effet, lorsque les partenaires sont des adultes autonomes, même si l'un des deux ne travaille pas à l'extérieur, la relation de couple s'établit sous forme de rapports d'égalité et non de domination. Celui des deux qui reste à la maison n'en souffre aucunement, puisque le partage des revenus financiers, des biens matériels, de certaines corvées ménagères et des soins aux enfants s'accomplit sans heurts. Il sait se ressourcer à sa guise dans diverses activités créatrices et récréatives, au foyer ou à l'extérieur.

## Capacité de symbiose et cas particulier

La capacité de symbiose de toutes les mères est admirable. Les femmes acceptent en effet cette symbiose, d'abord pendant les neuf mois de la grossesse, puis pendant la « lune de miel » du premier mois, et bien au-delà. Elles acceptent aussi de voir leur enfant se détacher d'elles à mesure qu'il gagne en autonomie et qu'il franchit les diverses phases de son développement jusqu'à l'âge adulte.

Par contre, si l'enfant manifeste un retard dans son développement, ou un trouble du comportement, sa mère le protège et continue à communiquer avec lui.

Lors du traitement d'un enfant hyperactif, j'ai pu observer chez sa mère non remariée un phénomène extraordinaire, celui d'une symbiose doublée d'une métamorphose de profil d'une durée de dix ans ! Voici ce qui s'était passé :

Cette mère de profil auditif avait eu un fils de profil visuel. Le père était mort trois ans après la naissance de l'enfant. Les dix premiers mois du traitement, je tentais en vain de lui faire admettre qu'elle était de profil auditif, puisque j'étais persuadé que son mari décédé était de profil visuel (histoire détaillée des comportements avant le décès, vérification auprès de la sœur du mari du même profil que lui, désir de l'enfant lors de la conception, vérification auprès des frères et sœurs de la mère, etc.). À chaque fois, elle me donnait toutes les réponses d'une femme de profil visuel et m'affirmait avec force et à mon grand étonnement, qu'elle avait ce profil à longueur d'année, sans modification aucune au moment de ses règles pourtant régulières. Elle avait un amant de profil auditif, depuis quatre ans, mais disait ne pas vouloir l'épouser sans trop savoir pourquoi ; elle affirmait seulement qu'il n'était pas fait pour elle ! Et elle me répétait souvent : « Je dois remplacer mon mari auprès de mon enfant ! ».

Au bout de dix mois, alors que son enfant de quatorze ans franchissait une étape vers l'autonomie, elle me confia qu'en plusieurs occasions et pour des périodes de plus en plus longues, elle se sentait devenir une autre personne et devait se ressaisir pour redevenir ce qu'elle croyait être « elle-même ».

Comme elle se sentait très angoissée par ce phénomène, je lui expliquai alors qu'elle avait, durant 10 ans, adopté le même type de profil que celui de son fils (visuel) pour mieux le comprendre, le protéger et le faire progresser. Je lui expliquai aussi que désormais elle n'avait plus à maintenir cet état secondaire, et que je comprenais ses craintes à l'idée de reprendre son profil de base et de retrouver sa personnalité, après plus de dix ans.

Je la félicitai de sa ténacité, lui fit prendre conscience que son état « dépresso-symbiotique » s'était résorbé et qu'elle avait maintenant le droit de vivre sa propre vie. Enfin, je la priai de ne pas en vouloir à son fils de l'avoir privée de dix ans de sa vie, et lui précisai que celui-ci allait apprécier grandement d'avoir une mère de profil auditif plutôt que visuel.

Le mois suivant elle se montra radieuse ! Elle se sentait encore un peu fragile, mais elle-même : son cycle était normal, en accord avec son profil de base. Elle entrevoyait la possibilité d'une nouvelle relation de couple après avoir quitté son amant.

## Conclusion

Après toutes ces années d'exercice de la pédiatrie, je demeure émerveillé des capacités d'adaptation, de compréhension et parfois de complicité de la femme envers ses enfants et son partenaire. Je demeure, par contre, surpris de l'acceptation béate du reste de l'humanité devant cet état de fait.

Le cycle menstruel, la grossesse et la ménopause sont liés à des modifications du système hormonal de la femme. Ces modifications physiologiques suscitent des transformations observables de son comportement et de sa personnalité. Elles s'avèrent donc « un facteur non négligeable » dans les relations que la femme entretient avec son milieu : « harmonisation » du couple, procréation, développement de l'enfant, amitiés, etc. Il s'agit bien d'« un facteur non négligeable » car l'être humain, bien sûr, n'est pas constitué que d'hormones.

Il serait d'ailleurs fort intéressant de pouvoir faire une lecture plus précise des taux d'hormones et d'autres agents biologiques qui interviennent entre le cortex, le limbe, la glande pituitaire, les ovaires et les autres glandes, et de relier ces observations aux différentes phases du cycle menstruel, par exemple.

Enfin, je me rends compte que les parents apprécient de connaître l'existence des variations de profil liées à ces transformations biologiques. Ils se montrent plus compréhensifs, plus tolérants et acceptent, par la suite, de modifier leur attitude envers leur partenaire ou leurs enfants.

S'il comprend mieux les mécanismes polyvalents de la femme, l'homme perd son attitude d'acceptation mitigée, son attitude ambivalente partagée entre le désir et la méfiance. Une relation plus harmonieuse peut naître.

La femme, après avoir pris conscience de ses propres modes de fonctionnement, se montre moins craintive devant ses changements de profil, parce qu'elle sait alors en tirer parti.

L'être humain, au plus profond de lui-même et selon sa propre vision des choses, veut toujours faire plaisir à l'autre, ou le rendre heureux. Lorsqu'il prend conscience que les besoins et la vision de l'autre sont différents des siens, il ne demande pas mieux que de les accepter. En effet, il est rassuré et libéré de comprendre comment l'autre fonctionne, parce qu'il sait quand, comment et combien de temps il doit s'ajuster auprès des personnes aimées.

Par projection, une compréhension plus parfaite de son microcosme familial amène l'être humain à mieux comprendre le macrocosme social. C'est ainsi que l'individu porte un regard plus lucide sur les autres et sur la société.

## Autres remarques.

### — L'identification du profil de la femme adulte

Avant de comprendre cette métamorphose du profil des femmes, j'avais beaucoup de difficultés à les classer selon leur profil. Beaucoup de femmes m'affirmaient catégoriquement avoir les deux profils et hésitaient à se voir classer dans l'une ou l'autre catégorie, alors qu'elles pouvaient aisément identifier le profil de leur mari et de leurs enfants. Après m'être aperçu que j'avais classé différemment les mêmes femmes lors de leurs visites successives, j'utilisai le subterfuge consistant à requérir la présence de leur mari pour la visite suivante. Je déterminais aisément le profil de celui-ci et identifiais automatiquement le profil complémentaire de sa femme. Le tour était joué.

Désormais, pour identifier le profil de base d'une femme, je me fie davantage à ses comportements prémenstruel et menstruel. C'est d'ailleurs plus rapide et infaillible !

## — Deux types de tension

Dans les descriptions de la tension prémenstruelle, on a toujours tenté de rassembler tous les symptômes dans un temps donné. Sans notion des profils, on en arrivait toujours à des résultats assez disparates. On cumulait les phénomènes de baisse d'énergie de la femme de profil auditif et les phénomènes de « survoltage » de la femme de profil visuel. La maîtrise du concept « profil » permet de cerner et d'identifier DEUX types de « TENSION » : la « tension PRÉMENSTRUELLE » chez la femme de profil AUDITIF, et la « tension MENSTRUELLE » chez la femme de profil VISUEL.

N.B. D'après mes observations, la femme dont les règles sont particulièrement irrégulières, (une fois tous les cinq ou six mois) manifeste entre ses périodes menstruelles un caractère plus monolithique assez semblable à celui de l'homme. Il est important de noter que, dans ce cas, si le mari ne joue pas son rôle de père, les enfants en souffriront davantage. En effet, la mère se trouve dans l'impossibilité de répondre chaque mois aux différents appels de ses enfants.

# L'INTERPRÉTATION DES DESSINS
# D'ENFANTS COMME AIDE
# AU TRAITEMENT

Les entrevues avec les enfants en difficulté ont lieu dans un local exigu ; elles peuvent durer trois heures, et c'est bien long pour un enfant. Parfois, au bout d'une demi-heure d'entrevue, je suggère à l'un des parents de le ramener à la maison, de lui faire faire une promenade ou de lui offrir une limonade au restaurant du coin. Cependant, la plupart des enfants restent dans mon cabinet toute la durée de l'entrevue. Pour les occuper, j'ai eu l'idée de leur demander de me dessiner quelque chose, sans se faire aider. Et je leur ai manifesté mon admiration à la vue de leurs chefs-d'œuvre.

Au bout d'un certain temps, comme tous les chercheurs, j'ai pu noter que certaines caractéristiques se répétaient dans les dessins de tous les enfants. Certaines caractéristiques répétitives sont relatives au profil de l'enfant. De plus, je me suis rendu compte que l'emploi de chaque couleur résulte d'un choix non arbitraire et qu'il cache une signification particulière. L'enfant qui saisit un crayon de couleur parmi tant d'autres, que ce soit avec nonchalance ou rapidité, ne se trompe jamais ; il se laisse guider par son instinct ou son sens de l'observation. En effet, si on lui cache son dessin, qu'on mêle tous les crayons et qu'on demande à l'enfant de produire un dessin sur le même thème, il réutilise invariablement les mêmes couleurs. Elles révèlent son état d'âme, sa phase et son stade de développement au moment de l'entrevue.

On peut ainsi décoder la signification des différentes couleurs représentant l'inconscient de l'enfant (et celui de l'adulte). Ce qui est précieux pour déterminer les phases du développement de l'enfant et les stades internes. J'utilise aussi cette « clef des couleurs » pour mieux identifier les types de relation (corporelle, affective, intellectuelle, sexuelle, sociale) que l'enfant peut avoir avec ses parents, ses frères et sœurs, ses professeurs et moi-même.

## Le code des couleurs : représentation inconsciente des couleurs chez l'enfant et l'adulte.

### — Le bleu

Il représente l'homme, le père, l'adulte de sexe masculin.

Il peut représenter le garçon, même très jeune, lorsqu'il se prend pour un adulte de sexe masculin.

Chez l'homme adulte, il représente son acceptation et sa satisfaction d'être homme.

Chez la femme adulte, il peut représenter, soit l'amour pour l'homme adulte, soit le désir d'être homme ou la conviction qu'il vaut mieux être un homme.

### — Le jaune

Il représente la femme, la mère, la femme adulte.

Il peut représenter la fille qui se prend pour une femme adulte.

Chez la femme adulte, il représente son acceptation et sa satisfaction d'être femme.

Chez l'homme adulte, il peut représenter soit l'amour pour la femme adulte, soit le désir d'être femme ou la conviction qu'il vaut mieux être une femme.

## — Le vert

Il représente l'enfant.

C'est la couleur issue de la combinaison du bleu et du jaune.

Le jeune enfant se réprésente d'ailleurs en vert.

## — Le rouge

Il représente l'amour.

C'est la couleur qui marque le déclenchement des manifestations affectives chez l'enfant au début de chaque phase de son développement et avant ses « appels sexuels ».

C'est aussi la couleur qui souligne les événements marquants des manifestations affectives de l'adulte ; il suffit de penser aux arrangements floraux offerts lors des anniversaires et à la St-Valentin.

## — Le noir

Il représente le négatif, les barrières, le vide, les défenses, les limites, les tabous à tous les niveaux : corporel, affectif, intellectuel, sexuel et social.

C'est la couleur qui entoure les décès.

## — Le blanc

Il représente le positif et la pureté, à tous les niveaux.

(Le cercueil de l'enfant, les vêtements de la mariée.)

## — Le gris

Il représente « le plus ou moins », à tous les niveaux. D'un côté, la recherche de la perfection plus ou moins absolue, d'un autre côté des systèmes de défense ou des barrières plus ou moins rigides.

Il peut donc aussi représenter l'indifférence, la neutralité.

Il résulte de la combinaison plus ou moins équilibrée du blanc et du noir.

## — Le brun

Il représente la semence, la terre, la nature, les grands espaces et, à tous les niveaux, le côté pragmatique, terre à terre.

Cette couleur est issue de la combinaison du rouge et du vert.

## — L'orange

Il représente l'amour pour la mère, pour la femme, pour la sœur, etc. Il représente la fille ou la femme qui s'apprécient dans leur condition féminine.

Cette couleur est issue de la combinaison du rouge et du jaune.

## — Le violet

Il représente l'amour pour le père, pour l'homme, le grand frère, etc. Il représente le garçon ou l'homme qui s'apprécient dans leur condition masculine.

Cette couleur résulte de la combinaison du rouge et du bleu.

## — Le vert foncé

Il représente l'enfant de neuf mois à deux ans et demi.

## — Le vert pâle

Il représente l'enfant de deux ans et demi à sept ans environ.

## — Le turquoise (à prédominance verte)

Il représente le garçon de sept à douze ans, la fille de six ans et demi à dix ans.

**— Le turquoise (à prédominance bleue)**

Il représente l'adolescent(e).

**— Les couleurs pastel**

Elles représentent les couleurs de l'adulte autonome.

**— Le rose**

Il représente la recherche de la perfection à tous les niveaux.

Il est issu de la combinaison du rouge et du blanc.

**— L'argent**

Il représente les valeurs supérieures internes, aux trois niveaux.

(L'endroit où sont rangés les objets auxquels on tient, l'endroit où l'on peut trouver la paix intérieure, cogiter ou lire son livre préféré...)

**— L'or**

Il représente les valeurs inestimables d'ordre spirituel ou esthétique, l'endroit où se créent des chefs-d'œuvre, ou la personne incarnant le processus créatif.

## La représentation inconsciente du schéma humain (corporel-affectif-intellectuel-sexuel) par l'enfant, à l'aide de dessins

**— L'interprétation du dessin par les formes**

De nombreux ouvrages ont déjà traité de la représentation inconsciente du schéma corporel par l'enfant à l'aide de dessins. Je ne ferai que quelques observations personnelles.

Lorsqu'un enfant dessine un portrait de famille, il faut d'abord noter l'ordre dans lequel il place tous les membres de la famille (même les amis, le docteur, etc.), puis noter les formes et les dimensions respectives des personnages, la présence ou l'absence de certaines de leurs caractéristiques physiques et leurs postures. Il faut également s'attacher au décor dans lequel l'enfant a inséré tout son monde : dans les différentes pièces de la maison ? dehors ? dans un cadre ?

Enfin, il faut essayer de comprendre si le dessin est humoristique et s'il contient des messages que les parents ou le thérapeute peuvent identifier. En voici quelques exemples :

Un garçon de dix-neuf ans s'était dessiné de profil, à l'écart de deux adolescents, un garçon et une fille qui se tenaient par la main. Il m'avoua candidement son désir profond d'avoir, lui aussi, une petite amie.

Dans un autre dessin, l'enfant avait représenté toute la famille de face, sauf sa mère qui, de profil, regardait tous les autres personnages. Dans les faits, cette femme se comportait en mère dominante, une vraie régente !

Un garçon de dix ans avait affublé son père de bras immenses ; par contre, il avait dessiné sa mère sans bras, et l'avait surmontée d'une affiche où était inscrit un « MAMAN » en grosses lettres et d'où partaient de larges flèches indiquant sa mère. Il voulait s'assurer que tout le monde allait comprendre que sa mère ne s'occupait pas assez de lui.

En regardant le dessin, sa mère éclata en sanglots et m'avoua spontanément qu'elle était incapable de s'occuper de ses enfants, mais qu'elle ne savait pas pourquoi. Elle était d'ailleurs suivie par un psychiatre depuis des années à ce sujet.

J'appris, qu'à l'âge de trois ans, elle s'était accidentellement infligé une brûlure très grave, et que ses parents l'avaient inconsciemment « responsabilisée » pour se défendre, eux, en sa présence, contre ceux qui les accusaient de négligence. Lorsque cette femme comprit et admit qu'une enfant de trois ans ne peut être tenue responsable d'un tel accident, il lui fut possible de s'occuper enfin pleinement de ses enfants.

Un garçon de sept ans, dont le père était violent, m'avait dessiné, dans un portrait de famille, comme un personnage immense, en station debout. Il s'était représenté tout petit, à quatre pattes, entre mes jambes écartées : il cherchait ma protection et mon aide.

Un enfant avait dessiné sa mère plus petite que sa sœur et lui. La mère m'avoua que, la semaine précédente, elle avait été prise, devant ses enfants, d'une crise de larmes et de découragement. Ce jour-là, ses deux jeunes enfants avaient dû s'occuper d'elle, faire les repas et le ménage. Elle prit d'elle-même conscience qu'il valait mieux, à l'avenir, éviter de tels incidents.

À l'âge de trois ans, cet autre enfant avait perdu son père dans un accident d'automobile. À quatorze ans, il dessinait son père très grand, à l'autre bout de la maison par rapport aux autres membres de la famille qui, eux, n'avaient ni pieds ni mains. Au bout de huit mois, il fit discrètement apparaître le père au sein du groupe familial, plus petit que les autres qui avaient maintenant tous des pieds et des mains. Il signifiait ainsi que désormais ils pouvaient tous se promener et agir sans risquer de se faire tuer. Ses peurs s'étaient envolées : il ne se cachait plus au fond de l'auto et anticipait avec plaisir les excursions futures.

Précisons également que si l'enfant ne dessine pas de bouche ou de nez à sa mère ou à son père, cela peut signifier

95

que celui-ci (celle-ci) ne peut « sentir » ses besoins ou qu'il (elle) ne communique pas avec lui.

## — Le schéma humain et ses niveaux

Si les observations précédentes confirment diverses significations inconscientes exprimées dans la représentation graphique du niveau corporel du schéma humain, comment l'enfant peut-il représenter inconsciemment les niveaux intellectuel, affectif et sexuel de ses personnages ?

Il « divise » l'individu en trois sections principales :

— Le niveau intellectuel est représenté par les cheveux ;
— Le niveau affectif « global » est représenté par l'espace compris entre le menton et la ceinture ;
— Le niveau sexuel est représenté par l'espace compris entre la ceinture et les pieds.

Mais il faut bien noter que les contours des personnages et leurs sens (yeux, bouche, nez, oreilles, mains, pieds) renferment aussi leurs significations autant par leurs formes que par leur présentation.

## — L'interprétation du dessin par les couleurs

L'autre procédé inconsciemment utilisé par l'enfant dans la représentation des diverses sections du schéma humain et des autres éléments du dessin, c'est la COULEUR. La couleur est l'une des dimensions informationnelles importantes par laquelle l'enfant nous communique la vision qu'il a de lui-même, des autres personnes, de leurs relations, de son environnement physique (maison, nature), de ses activités scolaires, sportives et sociales.

Donc, c'est en grande partie par son choix des couleurs que l'enfant communique inconsciemment avec l'adulte et qu'il exprime tout ce qu'il pense. La petite fille de cinq ans peut mettre des yeux jaunes à son père, parce qu'il regarde les femmes, une bouche noire à sa mère parce que celle-ci ne parle que par interdit, etc.

L'enfant utilise la couleur de façon symbolique lors du stade d'angoisse qui précède la nouvelle phase, lors de l'amorce de la phase et pendant les trois premiers quarts de la phase environ.

Il l'utilise aussi de façon symbolique dans les situations de réaction face à lui-même, face à d'autres individus ou face à son milieu. L'enfant qui dessine les cheveux de son père en noir signifie ainsi que son père le limite dans son développement intellectuel.

Par contre, durant le dernier quart des phases de son développement, il utilise la couleur de façon non symbolique, c'est-à-dire de façon réaliste. Il représente alors presque toujours les gens et les choses selon leur apparence réelle : avec des cheveux noirs, s'ils sont noirs, avec la peau rose, s'ils ont la peau rose, le père avec sa chemise à carreaux préférée, et la mère avec sa robe à rayures bleues et blanches. L'enfant assume et consolide alors sa phase.

Voyons maintenant comment l'enfant utilise les couleurs durant les diverses phases et les divers stades de son développement.

— De zéro à trente mois : les couleurs agissent sur les récepteurs visuels de l'enfant en très bas âge, comme excitant ou comme calmant. Vers l'âge de vingt mois, la première couleur qu'il utilise spontanément est le noir ou le gris. En effet, il est en phase d'apprentissage par les extrêmes négatif-positif (noir-blanc), ces extrêmes étant peut-être également ment représentatifs de ses systèmes de défense.

Ensuite, il utilise l'orange, qui représente l'amour pour la mère, ou le jaune qui représente la mère. Puis, l'enfant emploie le bleu, qui représente le père, ou le violet qui représente l'amour pour le père. Vient ensuite le vert par lequel il se représente. Et le brun qui représente la terre, la semence originale.

À cette étape, il aura pressenti, de façon très frustre bien sûr, tous les rapports existant entre les humains, y compris la différenciation des sexes et sa propre genèse.

Par la suite, il utilise toutes les couleurs pour barbouiller sa feuille et en faire une espèce d'arc-en-ciel, signifiant ainsi le plein épanouissement de sa première phase de développement. Il est prêt à passer à la suivante. Si l'on questionne l'enfant sur son gribouillis multicolore rempli de ronds et de lignes droites, il répond spontanément que c'est sa maison, son chien, ses parents, etc. Ses dessins occupent toute la page et expriment une imagination débordante, un humour savoureux et des préférences.

Il faut noter que, lorsqu'il commence à utiliser des crayons, l'enfant de profil auditif, du fait de sa « pensée circulaire », accomplit des dessins circulaires, alors que l'enfant de profil visuel, du fait de sa « pensée linéaire », accomplit des dessins linéaires. Par contre, au stade de consolidation de la phase (vers deux ans), si les deux parents ont bien répondu aux appels de l'enfant, on retrouvera des composantes linéaires et circulaires dans ses dessins.

À mon avis, la présence simultanée de ces deux composantes prouve que l'enfant peut utiliser simultanément son hémisphère gauche (profil auditif) et son hémisphère droit (profil visuel), et que ses parents lui en ont « donné l'autorisation ».

L'adulte, lors de certains automatismes inconscients, utilise son cerveau préférentiel. Au téléphone, un crayon à la main, l'adulte de profil auditif est porté à dessiner des cercles et celui de profil visuel est porté à dessiner des lignes droites ou des carrés.

— Vers deux ans et demi, vers sept ans et douze ans pour les garçons, vers deux ans et demi, vers six ans et demi et dix ans pour les filles, à l'entrée de chaque phase de développement : l'enfant utilise habituellement une couleur unique pour tous les personnages.

Mais lors du stade d'angoisse qui précède le début de la phase, il refuse généralement de dessiner. Et ce, même si les parents ont bien joué leur rôle dans la phase précédente, que l'enfant les sente ou non prêts à répondre à ses appels. S'il accepte de dessiner, ce sera en rouge.

Au début de la phase, si les parents répondent bien, l'enfant colorie habituellement tous ses personnages en orange ou en jaune lors de « l'appel à la mère ». Si l'enfant et la mère ont des profils complémentaires, l'enfant effectue simultanément « l'appel à la mère » et « l'appel au complément » ; il utilise alors évidemment le jaune ou l'orange. Il se sert par la suite du violet ou du bleu lors de « l'appel au complément », si c'est son père qui présente le profil complémentaire. Si l'enfant est de même profil que le père, le violet ou le bleu représentent « l'appel à l'amitié ». Enfin, tous les personnages sont coloriés en vert plus ou moins foncé, ou en turquoise, selon la phase où se situe l'enfant.

Ces attributions successives d'une même couleur à tous les personnages, en début de phase, s'exécutent de façon très rapprochée ; elles s'apparentent aux phénomènes d'écholalie et de mimétisme observés chez le très jeune enfant. L'enfant, au moment où il fait son dessin, s'identifie, en compagnie des autres personnages, à la personne aimée. Il modifie donc la couleur des personnages selon le type d'appel et le profil de l'appelé(e), et termine par la couleur correspondant à son âge phasique. Puisque l'enfant ne peut se hisser au niveau de l'adulte, il ramène celui-ci à son niveau, afin de pouvoir établir une communication d'égal à égal. Il peut ainsi exprimer ses besoins et demander les outils nécessaires à son développement. Il ne profite jamais de ses parents s'ils répondent bien à ses appels, car il pressent qu'il aura besoin d'eux plus tard. En fait, l'enfant se montre « donnant » à tous les niveaux si ses parents le valorisent à tous les niveaux.

Après les appels du début de la phase, alors qu'ils sont moins dominés par leurs pulsions inconscientes, les enfants font preuve de plus de réalisme dans leurs dessins. Ils affublent leurs personnages de différentes couleurs au lieu d'utiliser la même couleur pour tout le monde. Si la personne privilégiée (celle sur laquelle se projette la pulsion inconsciente de l'enfant) est une personne qu'il aime, elle sera tout en rouge, ainsi que la bouche de tous les autres personnages qui parlent d'amour ; par contre, les personnages secondaires afficheront des couleurs différentes, selon la perception inconsciente que l'enfant a de leurs différents niveaux. Ainsi le père a les cheveux verts s'il pense comme un enfant, un thorax bleu qui représente l'affection masculine, et un pantalon orange qui représente l'amour sexuel pour la femme.

Durant le stade de consolidation et d'autonomie de la phase, c'est-à-dire vers la fin, lorsque les gestes et les attitudes deviennent une routine, l'enfant décrit les personnages de façon objective, tels qu'on les voit dans la réalité. Les yeux sont bleus pour la personne aux yeux bleus, la chemise a des carreaux sur la personne qui la porte, etc.

L'enfant peut alors investir dans l'humour : dessiner son père sur la corniche du toit alors qu'il a horreur des hauteurs, et sa mère en train d'arroser des fleurs alors qu'elle a la hantise des insectes.

## Étude des couleurs selon les « appels sexuels »

### — Au début de l'appel : une seule couleur

Au début de l'appel, l'enfant, fille ou garçon, colorie tous les personnages en rouge. C'est un moment où il aime tout le monde et où il se sent aimé. Il agit par projection, et croit toutes les autres personnes animées du même sentiment que le sien. Si une personne lui manifeste une antipathie très forte, ou si lui-même ressent une antipathie envers elle, il la colorie tout en noir.

### — Chez le garçon

Le garçon, au début de l'appel, dans un portrait de famille, se dessine tout près de sa mère et place son père à l'écart. Il se représente parfois tenant sa mère par la main. Il inclut parfois dans son portrait ses amours pour des personnes de sexe féminin de profil complémentaire (grande sœur, institutrice, grand-mère, etc.), surtout si sa mère possède un profil identique au sien.

En effet, « l'appel sexuel » ne se manifeste qu'envers une personne de profil complémentaire. Dans la représentation de la maison familiale, l'enfant s'abstient de toute couleur bleue (qui pourrait faire penser au père, son rival temporaire). Le bleu est placé à l'écart, dans un petit nuage très discret loin de la maison. Dans la représentation de la maison, on retrouve le vert correspondant à sa phase ; le rouge, le jaune ou l'orange expriment la relation amoureuse entre sa mère et lui. Une légère fumée noire qui sort de la cheminée exprime les restrictions qui limitent cet amour. Dans certains cas, l'enfant oublie de dessiner toute une partie de la maison (l'endroit préféré du père ; par exemple). C'est ainsi qu'on obtient des représentations de maisons asymétriques ou amputées, qui apparaissent à première vue tout à fait incongrues.

### — Chez la fille

La fille qui accomplit son « appel sexuel » avec le père agit de la même façon : elle élimine toute la couleur jaune de la maison pour la reléguer dans un soleil en coin de tableau. On ne retrouve alors dans la maison que du vert, du bleu, du violet, du rouge et un peu de noir.

### — Au terme de « l'appel sexuel »

On retrouve beaucoup de noir dans la composition du toit, souvent sous forme de treillis, ainsi que dans la fumée s'échappant de la cheminée. Ce qui signifie que l'enfant a bien reçu le message : c'est un amour impossible.

Le garçon, dans le portrait de famille, colorie en noir la section de la mère en bas de la ceinture et représente la petite sœur sous forme de croix noire, etc. La petite fille dessine un pantalon noir à son père, etc.

À la toute fin du stade, les bateaux ont de la fumée et des hublots noirs.

N.B. Lors de « l'appel sexuel », j'ai noté que certains enfants n'utilisent pas du tout de noir. C'est le cas lorsque les parents répondent à l'appel de façon saine et positive, ce qui permet à l'enfant de mieux sublimer sa pulsion sexuelle.

## — Autres observations

Les mâts et les gouvernails des bateaux, ainsi que les arbres, sont de couleurs et de formes variées selon les différents stades de cet appel. Ils représentent l'organe sexuel mâle. La coque des bateaux semble plutôt représenter l'utérus.

Le soleil jaune (arrondi) représente la femme, les nuages bleus (souvent de forme allongée) l'homme. La pluie représente les larmes du bonheur, du chagrin, de l'amour (en rouge et souvent sous forme de cœur), les larmes du refus (en noir), de l'appel à l'homme (en bleu ou en violet) et de l'appel à la femme (en jaune ou en orange), etc.

Le vent représente le bouleversement, le changement ou l'état d'âme, selon sa couleur. Il apparaît sous forme de tourbillon très fin.

## — « L'appel sexuel » dans le cas de profils identiques

Le garçon dont la mère a un profil de base identique au sien peut accomplir son « appel sexuel » durant les trois jours où sa mère change de profil. Selon certaines de mes observations, en dehors de ces trois jours il semble accomplir son appel d'une autre manière, tout comme la petite fille de profil identique à celui du père.

En effet, j'ai pu remarquer à plusieurs reprises, surtout chez la fille dont le profil est identique à celui du père, une inversion des couleurs dans la représentation des parents. La fille dessine alors le père et les hommes en jaune, la mère et les femmes en bleu. J'ai l'impression qu'elle s'ajuste au profil secondaire du père, profil complémentaire au sien. Elle croit inconsciemment que son père, comme sa mère, est capable de métamorphoses. En intervertissant les couleurs représentant ses parents, elle intervertit les profils et non les sexes.

J'ai d'ailleurs constaté ce phénomène à plusieurs reprises, sans toutefois l'avoir vérifié de façon systématique.

## L'enfant atteint d'un déficit grave

Que se passe-t-il chez l'enfant profondément perturbé comme l'autiste ou l'hyperactif grave et tous les autres cas intermédiaires.

Presque tous ces enfants, avant le traitement, n'utilisent spontanément qu'une couleur pour dessiner, habituellement le noir. S'ils utilisent plusieurs couleurs, ils répètent le même dessin, toujours de façon identique, comme sous l'effet d'un dressage, sans faire preuve d'imagination. Si l'enfant est atteint profondément, il refuse de dessiner ou ne fait que des ronds : très petits dans le cas des autistes et plus grands dans le cas des hyperactifs.

Une fille de huit ans et demi, auditive, prématurée, qui avait passé deux mois dans un centre de prématurés, dessinait un grand rond avec de multiples petits ronds à l'intérieur. Sur mon insistance, elle m'explique que tous ces petits ronds étaient des petits yeux. Ils symbolisaient probablement les yeux de tout le personnel hospitalier qui la regardait dans l'incubateur.

Certains enfants se dessinent spontanément sous une forme fœtale. Beaucoup parmi eux, ne peuvent dessiner une forme humaine comme celle d'un bonhomme, car ils ne peuvent s'identifier eux-mêmes.

Au tout début du traitement, certains enfants remplissent leur feuille de lignes entremêlées ou de petits points similaires aux mouvements browniens : leur cerveau reçoit toute l'information extérieure sans pouvoir l'analyser. Pendant le traitement, lorsqu'ils commencent à s'identifier, à prendre conscience de leur existence et de celle des autres, ils ne voient qu'une chose à la fois. Ils voient d'abord les yeux, qu'ils peuvent aussi bien placer à l'extérieur d'un grand rond représentant l'individu. Plus tard, ils dessinent les autres parties du visage, qu'ils placent n'importe où à l'intérieur du grand rond. Enfin, après plusieurs mois de traitement, ils greffent les jambes et les bras sur ce rond, et le tout prend la forme d'une araignée.

Puis, ils ajoutent progressivement le ventre, le thorax et les autres détails.

Après quelques mois de traitement (vers deux ans d'âge phasique), ils représentent souvent leurs parents, et même la maison, par des lignes arrondies et enchevêtrées : le père en bleu, la mère en jaune, eux-mêmes en vert (ou de la couleur avec laquelle ils se sentent alors en affinité).

J'ai remarqué qu'au début du traitement, l'enfant ne voit et ne dessine qu'un élément de la forme à représenter : d'un arbre, il ne trace qu'une ligne verticale ou la forme d'une feuille. Par la suite, il perçoit deux éléments qu'il lie : il dessine le tronc et le feuillage. Enfin, il multiplie les détails et les colorie : branches, fruits et racines. Puis, il insère cette forme parmi les autres formes, toutes plus ou moins détaillées selon son âge phasique. Ce qui nous amène au dessin classique de l'arbre avec la maison, le ciel, les nuages, les fleurs, les personnages, etc... En résumé, d'un élément, l'enfant passe à la combinaison de deux éléments puis multiplie les éléments pour obtenir un ensemble, multiplie les ensembles et les inscrit finalement dans un tout.

Concrètement, voici maintenant un portrait de famille d'un enfant, puis une série de portraits de famille d'un autre, tous accompagnés de la signification des couleurs employées :

Portrait de famille d'une fille de douze ans de profil visuel.

— Elle se représente en violet : elle pense souvent aux garçons.
— Elle identifie chaque personnage avec une couleur appropriée unique représentant la pulsion affective qu'elle ressent à leur endroit.
— La maison bleue contient deux cœurs rouges : l'amour pour l'homme.
— Le soleil, rouge et jaune, révèle qu'elle s'apprécie comme femme et qu'elle aime la femme.
— La mère, de profil auditif, est représentée en rouge vif : la mère vient de répondre à ses « appel à la mère » et « appel au complément » de façon tardive, et la jeune fille ne perçoit dans sa mère que de l'amour.
— Le père, de profil visuel, est en bleu : il répond bien à l'amitié de sa fille.
— Sa sœur de quatorze ans, de profil auditif, est en vert pâle : elle est « bébé » de caractère et la mère la situe tout près de huit ans et demi du point de vue affectif.
— Sa sœur de huit ans et demi, de profil auditif, est en bleu foncé : c'est un garçon manqué ; sa mère désirait d'ailleurs un garçon durant cette grossesse, pour se faire aider dans ses gros travaux. Elle préfère « les jeux de gars », passe des journées entières à jouer au hockey avec eux.
— Son frère de sept ans et demi, de profil visuel, est en vert foncé : il se montre tout juste un peu plus jeune affectivement que sa sœur de quatorze ans.
— Son frère de deux ans, de profil visuel, est en jaune : il manifeste beaucoup d'amour envers les deux filles et la mère de profil auditif, et un peu moins envers sa sœur visuelle.

— Le frère de onze mois, de profil auditif, est en rouge brique : elle ne voit qu'amour en lui et c'est son préféré. Le rouge brique symbolise une terre fraîche et une nature frustre.

— Le docteur en brun : elle le perçoit comme un homme pragmatique, qui remet les choses à leur place.

Portraits de famille d'un garçon de quatorze ans, de profil auditif.

Premier portrait : le 14 octobre 1985, Jacques, quatorze ans, a entre quinze et vingt mois d'âge phasique.

— Tous sont dessinés en noir.

— De gauche à droite : Jacques, maman, papa, François. L'enfant refuse absolument de me représenter sur son dessin. Avant le traitement, il refusait complètement de dessiner à l'école, même au cours d'arts plastiques.

Deuxième portrait : le 11 novembre 1985, Jacques a maintenant deux ans d'âge phasique. Il manifeste son « appel sexuel » envers sa mère, elle aussi de profil auditif.

— De gauche à droite : le docteur, Jacques, François, le père, la mère.

— Les cheveux (le niveau intellectuel) : le père (cheveux vert d'eau) pense comme un adolescent ; la mère (cheveux orangés) pense comme une femme aimante ; François (cheveux bleus), dix-sept ans, pense comme un homme ; Jacques (cheveux violets) aimerait penser comme le docteur (cheveux violets) car celui-ci l'a compris et a apprécié son intelligence.

— Le corps, les pieds et les sens de chaque personnage sont d'une seule couleur, variant selon la personne représentée. L'affectif et le sexuel sont considérés comme un tout : le docteur, qui a déclenché son développement, est amour (rouge) ; il le place à gauche ; Jacques (violet pâle) s'apprécie comme homme, mais il a moins de maturité que François qui est violet plus foncé ; la mère, de profil auditif, est en bleu et le père en orange : Jacques intervertit donc les profils, de façon à pouvoir être en relation d'amour avec sa mère, la « transformant », pour la circonstance, en une femme de profil visuel.

Troisième portrait : le 17 mars 1986, Jacques a maintenant huit ans et demi d'âge phasique.

— De gauche à droite : Jacques, maman, François, papa, le docteur.

— Tous ont les cheveux bruns : ils ont donc tous une intelligence pragmatique ; il ramène tous les jeux à son niveau d'intellectualisation actuel.

— Tous ont la peau de la même couleur et il habille le docteur tel qu'il le voit dans la réalité, avec une chemise bleue et un pantalon brun.

— Il hésite beaucoup à représenter le docteur dans le portrait de famille.

— Yeux, nez et bouche bleus : tous regardent, sentent et parlent en homme.

— Jacques se dessine le premier : la mère dit qu'il pense toujours à lui d'abord. Son thorax et ses jambes sont un vert foncé : il se perçoit comme enfant aux niveaux affectif et sexuel. Ses pieds sont bleus : il envie la liberté de déplacement de son frère aîné ; au dire de sa mère, il veut suivre François partout.

— La mère est située entre ses deux enfants amoureux d'elle. Thorax bleu : elle est encore perçue avec un profil visuel. Jambes noires : elle lui est sexuellement interdite. Pieds noirs : elle ne peut aller où va François, ni sortir à sa guise, aller danser, etc. Elle n'est pas libre, elle reste à la maison.

— François. Thorax rouge : il a beaucoup d'amour au niveau affectif ; fin février, la mère a répondu à ses appels manifestés depuis l'âge de douze ans et jusqu'alors négligés : François s'est alors tiraillé avec elle et l'a transportée dans ses bras. Jambes bleues : il l'identifie comme homme au niveau sexuel ; il appelle continuellement les filles au téléphone. Pieds bleus : il se rend dans les endroits réservés aux adultes : discothèques, etc.

— Le père. Parce que Jacques est encore en relation d'amour avec sa mère, il le place un peu a l'écart. Thorax jaune : inversion persistante du profil. Jambes vertes moins foncées que les siennes : au niveau sexuel, il voit son père « enfant », mais un peu plus mûr que lui. Pieds verts : le père se montre « enfant » dans les raisons qu'il donne pour justifier ses sorties ; il est perçu comme « bébé », comme s'il avait un peu « les deux pieds dans le même sabot » ; il doit se faire servir par sa femme et refuse de faire le plein aux stations-service sans pompiste.

## Les conditions de l'interprétation

Les interprétations des dessins, d'après les formes et les couleurs, doivent toujours être très étoffées. Il faut se baser sur le contexte du moment, les acquisitions passées, la connaissance des milieux social, culturel et familial, la phase de développement de l'enfant, etc. Plus on a de renseignements, plus l'interprétation est juste.

Il me semble important de mentionner qu'il ne faut jamais interpréter les dessins en présence de l'enfant. À la séance suivante, il fournirait l'information tant attendue, et fausserait ainsi les résultats. De plus il faut vérifier l'interprétation en la faisant confirmer par les parents et même par l'enfant, par la méthode de « bio-feedback ».

## L'interprétation du choix des couleurs chez l'adulte avant et après la valorisation

Souvent, au début et à la fin de la thérapie auprès des parents, je leur demande de me citer leurs quatre couleurs préférées.

Je leur en donne l'interprétation à la fin du traitement, donc après leur valorisation (voir chapitre suivant). Ils sont toujours surpris d'avoir choisi de nouvelles couleurs, alors qu'ils préféraient les premières depuis longtemps et croyaient leur choix immuable. Ils mentionnent qu'ils ne pouvaient plus supporter les couleurs de leurs tenues vestimentaires et qu'ils se sont achetés de nouveaux vêtements dans des couleurs qui leur plaisent davantage. Ils songent même à changer la couleur des murs de leur maison, etc.

L'interprétation des couleurs, je le répète, doit se baser sur l'ensemble d'un maximum de facteurs situant la personne : valorisations, dévalorisations, milieux familial, social, professionnel, etc... Il faut aussi obtenir par la méthode de « bio-feedback » la confirmation verbale des interprétations pour s'assurer de leur validité.

Voici deux exemples d'interprétation du choix des couleurs avant et après la valorisation des adultes concernés.

Premier exemple : une femme de 30 ans, divorcée, déva-lorisée aux niveaux corporel et affectif.

Le 3 octobre 1985, ses couleurs préférées par ordre de priorité, et avant valorisation, sont :
— Le bleu marine : elle aurait aimé être un homme. Sa mère a toujours préféré les garçons.
— Le blanc : elle aime la droiture, n'accepte pas le mensonge.
— Le beige : elle aime la nature, la terre ; elle est pragmatique.
— L'ocre jaune : elle s'apprécie très mal comme femme. Sa mère la traitait de « sale » et ne l'a jamais caressée.
— Le gris très foncé : elle agit en grande partie en fonction des tabous, des « qu'en dira-t-on », de l'opinion des autres

— Elle me dit ne pas aimer le rouge.

Le 5 novembre 1985, après valorisation :

— Le rouge vif : à la surprise de sa mère et de tous, elle a maintenant de l'amour à revendre.

— Le bleu turquoise : elle désire beaucoup moins être un homme.

— Le jaune clair : elle ne se sent plus « sale » intérieusement, et réalise davantage qu'elle est une femme ; pour la première fois, elle se le fait dire fréquemment par des femmes et des hommes de son entourage. Elle attache d'ailleurs beaucoup plus de soin à son apparence.

— Le rose : elle recherche un amour affectif pur.

— Le gris pâle : elle se sent moins limitée (par exemple, dans ses contacts sociaux).

Deuxième exemple : une femme de 35 ans, auditive.

Voici, avant valorisation corporelle et affective, ses couleurs préférées, le 17 juin 1985 :

— L'orange brûlé : sa mère l'a toujours dévalorisée ; elle a subi l'inceste, elle se dévalorise en tant que femme et se trouve très chanceuse d'avoir pu se marier, mais elle est maintenant divorcée.

— Le noir (à profusion) : elle se sent coupable de tout, n'ose rien se permettre, voit tout de façon négative, se sent souvent déprimée.

— Le rose : elle recherche un amour affectif pur.

— Le rouge : occasionnellement, dans ses moments d'euphorie, lorsqu'elle prend le profil visuel.

— Le gris : bon jugement intellectuel et accepte les compromis.

Elle n'aime pas :

— Le brun : la nature extérieure, la terre, les sports.

— Le vert : elle se sent très prise par son enfant, réagit de façon excessive envers lui, soit très permissive soit très restrictive ; elle aussi craint d'en abuser sexuellement.

Après valorisation, le 19 août 1985, ses couleurs préférées sont :

- Le rouge : elle me rapporte que dès le lendemain de l'entrevue du 17 juin, elle s'aime, elle aime son enfant, elle aime tout le monde et se sent aimée.
- Le rose : toujours en quête d'un amour pur, elle a quitté son ami dévalorisant qui ne voulait pas modifier ses attitudes.
- Le bleu pâle : elle aimerait bien posséder la force physique de l'homme pour entretenir son logement. Elle recherche la compagnie d'un homme mûr, équilibré (quitte à s'en passer si elle ne trouve pas celui-là).
- Le gris : au niveau intellectuel, rien n'a changé. Au niveau affectif, elle se permet plus de liberté et pense davantage à elle-même.
- Le blanc : elle se sent pure dans son corps et au niveau affectif. Le traumatismme dû à l'inceste s'est résorbé.
- L'orange pâle : elle s'apprécie comme femme.

Elle aime aussi des couleurs de teinte pâle. Par ordre de préférence : kaki, rose, bleu, vert, jaune. Elle se sent « libérée », adulte, équilibrée, heureuse et pleine de projets. Elle a redécoré sa maison en blanc, rose et jaune pâle.

## Conclusion

Les dessins de l'enfant sont un outil de travail exceptionnel auprès des parents et de l'enfant.

Le fait que la seconde série de dessins soit bien meilleure que la première, ceci parce que le thérapeute s'est émerveillé devant les premiers chefs-d'œuvre souvent plus ou moins réussis, indique aux parents la manière de valoriser leur enfant aux points de vue intellectuel, affectif, corporel et social.

On peut, de cette manière, vérifier *in situ* si les parents peuvent valoriser adéquatement leur enfant, détecter ainsi leurs dévalorisations respectives et entreprendre un traitement auprès d'eux. En effet, si on ne traite pas les parents en même temps que l'enfant, on n'obtient que des résultats boiteux et un enfant mal équilibré.

# LES DÉVALORISATIONS LES PLUS FRÉQUENTES

En traitant des enfants hyperactifs, autistes ou des enfants victimes de troubles d'adaptation, j'ai dû rapidement faire face à des arrêts subits de leur développement. J'ai constaté que diverses dévalorisations de leurs parents en étaient la cause.

L'adulte ou l'enfant qui a un problème d'évolution ou d'adaptation, et qui par conséquent se dévalorise, est généralement un individu qui utilise plus ou moins adéquatement son profil de base et son profil secondaire complémentaire, à tous les niveaux : corporel, affectif et intellectuel.

Pour établir le bilan véritable des dévalorisations parentales, il faut les rechercher et, en quelque sorte, les additionner.

J'ai donc décidé, avec l'accord et la participation active des parents, d'identifier les diverses formes de leurs dévalorisations, d'en rechercher les causes et de mettre sur pied un traitement adapté à leurs besoins.

## Diverses formes de dévalorisation

### — Les dévalorisations les plus fréquentes

Je m'en tiendrai ici aux dévalorisations les plus fréquentes ; l'explication d'autres dévalorisations parentales, entre autres celles qui sont liées à l'éthylisme, à l'anorexie mentale, au divorce, à l'obésité, à la violence, à la dépression ou à l'homosexualité feront l'objet d'un autre ouvrage.

Il peut exister, chez les parents, des dévalorisations majeures et des dévalorisations mineures. Les dévalorisations majeures les plus fréquentes sont les dévalorisations corporelles, affectives et intellectuelles ; les dévalorisations mineures les plus fréquentes sont les dévalorisations socio-corporelles, socio-affectives et socio-intellectuelles. Ce sont principalement ces dévalorisations parentales qui, transmises à l'enfant, entravent son épanouissement, son développement harmonieux et complet.

J'aborderai simultanément les dévalorisations des enfants et des parents, elles sont en effet indissociables : celles des enfants résultent de celles des parents, celle des parents résultent de celles des grands-parents, et ainsi de suite à travers les générations antécédentes.

### — Dévalorisation directe

Le parent qui souffre d'un déficit à un niveau quelconque a tendance à dévaloriser son enfant, ou à ne pas le valoriser, à ce même niveau. Ainsi, s'il s'agit d'un déficit au niveau intellectuel, il ne s'émerveille pas devant les réalisations intellectuelles de son enfant. Il ne s'intéresse que peu ou pas à ses réalisations scolaires. Dans certains cas, il peut même le qualifier de « pas intelligent », « d'imbécile » ou « d'insignifiant ». Il ne défend pas non plus son enfant lorsque le conjoint, les éducateurs ou les frères et sœurs ou les amis le traitent de « peu intelligent ».

### — Dévalorisation par comparaison

Le parent peut aussi dévaloriser son enfant en le COMPARANT à un autre enfant : « regarde comment les autres réfléchissent ! tu ne pourrais pas penser comme eux ? », « ton frère, lui, se sert de sa tête ! ».

## — Dévalorisation par restriction

Le parent peut aussi diminuer les capacités intellectuelles de son enfant en insinuant des restrictions dans ses encouragements : « tu es intelligent MAIS tu ne pourras jamais te classer dans les premiers de ta promotion ! ». Les « mais » sont de trop dans l'éducation des enfants et il faut les éviter à tout prix. Une femme accepterait certainement fort mal que son mari lui dise : « tes tartes sont extraordinaires ! MAIS celles de ma mère sont... », et il y a peu de chance qu'il puisse y goûter une deuxième fois.

L'enfant a droit à l'utilisation maximale de ses facultés intellectuelles. Le parent, en insinuant un « mode restrictif » ou une autre dévalorisation à l'égard de l'intelligence de son enfant, ne fait qu'établir avec lui un rapport de force. Ce peut être un rapport d'égalité, un rapport de domination, un rapport de rejet ou d'indifférence.

## — Dévalorisation d'égal à égal

La dévalorisation s'accomplit habituellement sur un pied d'égalité car le parent qui se dévalorise lui-même est porté à ramener l'enfant à son niveau. L'enfant s'identifie d'ailleurs inconsciemment au parent qui lui ressemble le plus. L'enfant peut donc s'attribuer le degré d'intelligence que son parent de même profil s'attribue. Le parent devient le miroir dans lequel se réfléchit l'enfant.

Généralement le parent de profil complémentaire confirme cette façon de voir, par son silence, ou même en accentuant la dévalorisation : « tu n'es pas plus (tu es encore moins) intelligent que ton père (ta mère) ! ». Ce parent, par souci inconscient « d'équité », agit surtout de cette manière s'il se dévalorise à un autre niveau (corporel ou affectif) et s'il a un autre enfant, de même profil que lui, que son conjoint dévalorise sur ces mêmes niveaux. Dans un cas semblable, l'enfant se trouve affecté d'une DOUBLE DÉVALORISATION. En effet, il croit qu'il ne peut et ne pourra jamais être apprécié au point de vue intellectuel par une personne de même profil que lui, ni par une personne de profil complémentaire. Plus tard, il sera amené à choisir comme partenaire une personne qu'il jugera d'une intelligence supérieure à la sienne, pour combler son déficit ; par contre, le (la) partenaire choisi(e) souffre habituellement d'une dévalorisation à un autre niveau, contrepoids à la dévalorisation intellectuelle du premier personnage. C'est ce qui fait « l'équilibre » dans certains couples.

Bien sûr, l'enfant peut accumuler d'autres dévalorisations à d'autres niveaux et de toute autre catégorie (obésité, dépression, etc.).

Lorsque cet enfant devient adulte, il a tendance, dans l'éducation de ses enfants, à imiter les attitudes valorisantes et dévalorisantes de ses parents.

On a souvent attribué la « non-intelligence » à l'hérédité ; ce qui est vrai dans certains cas de dysfonctions génétiques. Elle peut aussi être la conséquence de maladies organiques ou de traumatismes. En ce qui me concerne, je suis toujours agréablement surpris des capacités de compréhension et d'adaptation que manifestent les parents qui viennent me consulter. Dois-je ajouter que des gens supposément très intelligents me déçoivent régulièrement parce qu'ils refusent de comprendre et de s'adapter ?

## — Dévalorisation de dominant à dominé

Dans la relation de domination, le parent de profil identique à celui de son enfant peut le dévaloriser en se montrant toujours supérieur à lui. Il suffit de dédaigner de jouer avec lui à des jeux intellectuels (socio-intellectuels), de refuser d'écouter son opinion ou ses commentaires, de le traiter comme un fétu de paille, de refuser la discussion avec lui sur la façon de penser ou d'analyser diverses situations ou diverses approches constructives ou destructives, ou de chercher carrément à toujours se montrer plus intelligent que

116

son enfant. L'enfant perd alors toute ambition. Atteindre ou dépasser son père ou sa mère lui paraît tout à fait irréalisable : cela s'appelle pour l'enfant une « mission impossible ».

La relation de domination est spécialement dévalorisante pour l'enfant qui, au départ, identifie son parent à un dieu. Si le parent refuse d'établir avec lui une relation d'égalité ou, tout simplement, s'il lui refuse son écoute et sa participation, l'enfant perd confiance en lui-même, perd sa propre estime, son goût d'apprendre et toute motivation à évoluer. Il se voit alors de façon négative, comme un moins que rien. Il ne voit plus que ses incapacités, son incompétence. Il perd sa sécurité, se sent rejeté et ne peut jamais connaître « le juste milieu », et finit par adopter l'attitude de l'enfant « battu intellectuellement ». La gravité de cette attitude est fonction du degré de dévalorisation infligée par les parents.

Cette relation de domination peut, par contre, amener une contre-réaction chez l'enfant qui se dit plus intelligent que son parent dévalorisant, selon les attitudes des deux parents. Cet enfant, par la suite, a tendance à dévaloriser intellectuellement les autres enfants ou les autres adultes.

## — Dévalorisation par survalorisation

La trop grande permissivité ou l'exagération de la valorisation intellectuelle de l'enfant aboutit aux mêmes résultats que la relation de domination, soit à une attitude d'enfant « battu intellectuellement ».

En effet, l'exagération positive amène une déstabilisation de l'intellect de l'enfant du côté « positif ». Il perd alors la notion des justes valeurs. Il sait fort bien qu'il ne possède pas toute la vérité, même si on lui dit qu'il connaît tout et que tout ce qu'il fait est suprêmement intelligent. Il en vient donc à douter de lui-même car il ne sait plus où situer les limites de ses facultés de compréhension et d'intellectualisation. Il perd alors confiance en lui, perd sa sécurité, se dévalorise et s'écrase ; ou bien il réagit et devient dominateur : « il se prend pour un autre ». Il peut tenir un langage tout à fait insensé sans même s'en rendre compte. Il conceptualise alors des projets, des histoires, des discours et des méthodes qui ne collent pas avec le réel et « ne tiennent pas debout ».

La survalorisation se produit aussi lorsque le parent de profil identique a beaucoup souffert de ce déficit et qu'il ne veut pas, c'est bien normal, que son enfant soit victime de la même dévalorisation. Ce parent a alors tendance à exagérer la valorisation de l'enfant, puisqu'il ne connaît pas lui-même le juste milieu. Par conséquent, il déstabilise son enfant d'une façon « positive », inversement proportionnelle à la charge dévalorisante qu'il a reçue de ses propres parents. On peut ainsi, d'une génération à l'autre, alterner dévalorisations et survalorisations, toutes aussi dommageables les unes que les autres.

Il est à noter que l'un des parents peut valoriser, sur un niveau, un enfant de même profil que le sien, alors que lui-même se dévalorise à ce même niveau. Dans ce cas, il dévalorise cet enfant sur un autre niveau. Cette situation se rencontre sutout dans les familles de plus de deux enfants où, par souci « d'équité », les parents tentent de donner et d'enlever également à tous.

N.B. Des phénomènes similaires peuvent aussi se présenter lorsque le parent et l'enfant ont des profils complémentaires.


## L'enfant avant valorisation intellectuelle

Les « images » d'interdiction et de permission des deux parents s'impriment dans l'inconscient de l'enfant et le rendent apte ou inapte à utiliser ses facultés intellectuelles, affectives, corporelles ou autres.

N.B. L'enfant dévalorisé ne présente pas nécessairement tous les signes de dévalorisation qui vont être mentionnés. Cette « liste » n'est évidemment pas exhaustive.

## Au niveau intellectuel

L'enfant qui se dévalorise intellectuellement obtient généralement des notes scolaires plus ou moins bonnes et se désintéresse de toutes les activités intellectuelles, sauf peut-être de celles où son parent dévalorisant démontre moins d'aptitude que lui.

Il peut obtenir, en alternance, dans la même matière, de très bonnes et de très mauvaises notes, pour prouver inconsciemment à ses parents qu'il peut ou non utiliser son intelligence et leur apporter, s'il le souhaite, une preuve évidente de sa compétence.

Par ailleurs, puisqu'il connaît mal son potentiel, il débute l'année avec de très mauvaises notes puis il progresse graduellement, à la recherche d'une appréciation de la part de ses parents, et termine l'année en frôlant la limite de l'échec ou en atteignant tout juste la moyenne (selon le degré de valorisation de ses parents ou sa peur de redoubler).

Il trouve peut-être matière à valorisation dans l'appréciation et l'intérêt que d'autres personnes (tantes, oncles, professeurs, voisins, amis) manifestent envers ses capacités intellectuelles. Même si cet apport extérieur compense partiellement le déficit parental, cet enfant atteint rarement l'épanouissement total de ses capacités intellectuelles, à moins qu'il puisse prendre pleinement conscience de l'origine parentale de sa dévalorisation lorsqu'il parvient à l'âge adulte. Il pourra alors briser ce mauvais chaînon et se reprendre complètement en main. Il ne doit cependant pas accuser ses parents, mais plutôt les excuser, sachant qu'ils ont aussi beaucoup souffert de la même dévalorisation inconsciente ou d'une dévalorisation équivalente à un autre niveau.

## Au niveau socio-intellectuel

L'enfant peut se sentir dévalorisé de diverses façons :
— si ses parents lui refusent, sans explication, le matériel nécessaire à son développement intellectuel (si c'est pour des raisons vraiment valables d'économie, il faut le lui dire !) ;
— si ses parents se montrent indifférents ou parfois moqueurs lorsque l'enfant aborde une discussion intellectuelle ou qu'il écoute certaines émissions télévisées qui peuvent lui apporter de nouvelles connaissances ;
— si on le rabroue ou qu'on lui refuse le droit de participer ou de donner son opinion lors des discussions à la maison, avec ses amis ou à l'école, « parce qu'il est trop petit », « parce qu'il ne comprendra rien », « parce qu'il n'est pas intelligent ».

Si les DEUX parents, qui représentent la SOCIÉTÉ, ne s'intéressent pas aux réalisations scolaires, artistiques ou logiques de l'enfant, celui-ci se sent fortement dévalorisé et se croit incapable de se servir de son intelligence. C'est comme s'il avait reçu l'ordre de ne pas l'utiliser. Il perçoit inconsciemment le tout comme une interdiction : il n'a pas le droit d'utiliser cette faculté. En effet, tout enfant veut de prime abord faire plaisir à ses parents et croire d'emblée ce qu'ils disent, surtout en bas âge. « C'est vrai, papa l'a dit ». L'adolescent peut, face à une interdiction, émettre des doutes ou se révolter. Mais il aboutit difficilement à ce type de réaction parce qu'il n'a pas encore atteint l'état de conscience de l'adulte autonome.

Comme les deux parents constituent le noyau social dans lequel il se forme et auquel il se réfère en priorité, l'enfant utilise ses facultés intellectuelles de la même façon en société ou avec ses parents. Si ses deux parents l'ont bien valorisé, un milieu extérieur (voisin ou professeur) dévalorisé et dévalorisant ne l'affecte que très peu car il a l'intime conviction qu'il est intelligent. Il peut garder sa « lumière intérieure » en veilleuse pour ne la mettre en évidence qu'en présence de ceux en qui il a confiance, et si besoin est. Il est « immunisé » contre les dévalorisations extérieures car il peut s'auto-évaluer à sa juste valeur.

**Autres signes**

Chez l'enfant, les dévalorisations intellectuelles se manifestent :
— par des somatisations comme les douleurs abdominales, les dépressions, les insomnies, les migraines de fin de journée, les fatigues profondes, les vomissements, etc.
— par des troubles du comportement scolaire : des alternances entre des bonnes et des mauvaises notes, de l'absentéisme, du défaitisme (il se croit coulé d'avance), de l'inversion dans l'écriture, des caprices, des crises de larmes, il dérange les autres, refuse d'accomplir ses travaux, se dit « pas ou peu intelligent », écrit parfois « n'importe quoi », se débrouille pour que les professeurs soient obligés de signifier aux parents qu'il dérange et qu'il pourrait être « bon » s'il le désirait. A la maison, il se plaint d'avoir trop de travail, rouspète au moment des devoirs, exige qu'on l'aide, etc.

## L'enfant après valorisation intellectuelle

L'enfant rapporte parfois à la maison des livres de lecture et les lit. Ses notes montent en flèche. Il comprend tout. Il se sent capable d'aller parler et discuter avec le professeur pour faire valoir son point de vue. Il se rend à l'école par plaisir et non par devoir. Il fait ses devoirs entièrement et proprement, et ne les remet pas à plus tard. Il ne se plaint plus d'avoir trop à faire. Il revient de l'école de bonne humeur. Il ne somatise plus. Il dort mieux. Il ne cache plus ses erreurs (fautes d'orthographe, par exemple) et se montre honnête. Il lit mieux et prononce mieux. Il s'intègre plus facilement dans un groupe et ne craint pas d'émettre son opinion. Enfin, il accepte les compliments avec simplicité, sans orgueil, en sachant qu'il les mérite.

## L'adulte avant valorisation

Dans le milieu à prédominance ouvrière où j'exerce, la dévalorisation intellectuelle est beaucoup plus fréquente chez l'homme que chez la femme.

Dans le couple, les dévalorisations des deux partenaires s'équilibrent, se complètent et souvent se situent en partie sur le même niveau.

Ainsi, si l'un des deux partenaires se dévalorise beaucoup intellectuellement mais moins corporellement et affectivement, son conjoint se dévalorise très peu intellectuellement et un peu plus aux points de vue corporel et affectif.

Lorsque la dévalorisation des deux partenaires se situe sur le même niveau mais pas au même degré, l'un des deux se sent très riche face à l'autre, même s'il se sent en déficit par rapport à d'autres personnes plus comblées que lui. Par ailleurs, il se « doit » d'être inférieur à son conjoint sur un niveau où ce dernier se dévalorise aussi, mais moins que lui. L'adulte qui ressent un surplus et se sent favorisé souffre en partie de ce déficit ; il peut donc reconnaître plus facilement ceux et celles qui en souffrent davantage. Il a alors tendance à les surprotéger et à les valoriser comme il l'a été par ses parents ou d'autres personnes. Il est, à ce niveau, plus à l'écoute de son conjoint ; c'est souvent ce lien protecteur qui les conduit au mariage.

Pour identifier la dévalorisation d'un des conjoints, je pose souvent cette question à chacun d'eux : « quand vous avez vu votre femme (votre mari) pour la première fois, qu'est-ce qui vous a attiré en elle (lui) ? » ou : « quel manque déceliez-vous en elle (lui) que vous sentiez pouvoir combler ? ». Certain(e)s disent : « elle paraissait si fragile », « il paraissait si timide dans ses affirmations, renfermé », « elle avait l'air apeurée », etc.

Les gens ont habituellement tendance à valoriser fortement la personne aimée et à l'encourager uniquement avant le mariage : « tu es intelligent, voyons donc ! », « tu es belle, tu sais ! », « comme je te trouve agréable ! », etc. Par contre, dès le contrat de mariage signé, les compliments, la présence et l'écoute se font rarissimes. Toute la relation prémaritale semble oubliée. Tout se passe comme si chacun gardait ses bonnes cartes en réserve, pour ne les sortir que dans les moments de crise ou dans les occasions spéciales : fêtes, anniversaires, voyages, etc. Il s'établit alors dans le couple une relation de domination et non une relation d'égalité.

La valorisation tout à fait sincère qui précède le mariage apparaît de moins en moins « honnête » quand elle ne resurgit que pour des circonstances spéciales. Un climat de non-confiance s'établit qui provoque une grande instabilité dans le couple, se répercute sur les enfants et, très fréquemment, aboutit au divorce.

## L'adulte avant valorisation intellectuelle

N.B. L'adulte dévalorisé ne présente pas nécessairement tous les signes de dévalorisation qui vont être mentionnés. Cette « liste » n'est évidemment pas exhaustive.

### — À la maison

L'adulte dévalorisé est généralement silencieux, hésitant, il n'ose émettre son opinion devant les enfants ou les autres adultes de peur de se tromper. Il se réfère à l'opinion de son conjoint pour les moindres décisions et lui demande conseil.

Lorsque les enfants ou le conjoint lui demandent des explications concernant leurs travaux scolaires ou d'autres sujets requérant un raisonnement, il trouve toutes sortes d'excuses pour éviter d'y répondre : « je n'ai pas le temps ! », « je suis occupé(e) !, « je suis fatigué(e) ! », « demande à ta mère (ton père) ! », « tu devrais le savoir ! », « c'est à ton professeur de te l'expliquer ! », « tu ne vois donc pas que tu me déranges ! », etc.

## — En présence d'un petit groupe

Il prend son conjoint ou une autre personne à témoin, pour affirmer des opinions sans émettre la sienne : « Jules pense ceci » ou « Maryse dit cela ».

## — En présence d'un groupe plus important

Il s'ennuie, se sent seul ou mal à l'aise si on discute d'un sujet qui lui est plus ou moins familier. Il peut se taire ou tenter de faire dévier la conversation sur un sujet qu'il connaît ou s'échapper discrètement du groupe. Plus tard, face à son conjoint, il évite d'inviter les personnes de ce groupe en les dénigrant ou en invoquant des raisons fallacieuses.

## — Au travail

Même sur une chaîne de montage, l'adulte dévalorisé tente de cacher ses erreurs : il ne les révèle pas ou, s'il est pris en défaut, cherche des excuses au lieu de les admettre en toute franchise.

Comme il n'a pas confiance en son jugement, il évite de donner son opinion au gérant ou aux cadres sur les modifications à apporter au système.

# L'adulte après valorisation intellectuelle

## — À la maison

L'adulte valorisé parle davantage à son conjoint, lui raconte ce qui se dit ou ce qui se passe à son travail. Il prend plus rapidement des décisions sans demander nécessairement l'approbation de son conjoint. Il sent qu'il peut répondre à toutes les questions des enfants sans se sentir pris au dépourvu.

## — Au travail

Il lit et compte plus rapidement. Il exécute ses tâches avec plus de célérité et aime davantage ce qu'il fait. Il ne craint plus son patron, ne cherche pas de faux-fuyants, sait qu'il peut prendre des décisions et fait preuve d'initiative. Il reconnaît sa valeur et sait se « vendre » à son patron (demande d'augmentation). Il est plus calme, ne panique plus devant une situation nouvelle et sait qu'il a toujours assez de temps et de confiance en lui pour trouver une solution aux problèmes. Il fait preuve d'un meilleur esprit de décision, planifie et ne ressent plus le besoin de se faire approuver dans ses actes.

## — En général

L'adulte, après s'être valorisé sur le niveau intellectuel, se moque des « qu'en dira-t-on ? » : il sent qu'il peut émettre son opinion devant n'importe qui. Il est plus à l'écoute des autres et de leurs conseils. Il parle de façon plus posée au lieu de dire tout d'une traite. Il répond rapidement et de façon assurée aux questions.

Il ne se sent pas dérangé si on lui demande une explication. Il trouve tout le temps nécessaire à l'explication ou à la recherche d'une solution car il a du « temps intellectuel » « à revendre ».

Dans un groupe où l'on discute d'un sujet qui lui est méconnu, il ne craint pas de poser les questions qui lui semblent pertinentes ; il écoute avec intérêt et avidité car il est ouvert à toute nouvelle connaissance qui pourrait enrichir son intellect. Par la suite il se montre réceptif à tout ce qui peut se dire ou s'écrire sur ce nouveau sujet, ce qui lui permet de participer plus activement à une future discussion et de vérifier ainsi ses nouveaux acquis en les comparant à ceux des autres.

Il fait montre d'un bon sens de l'humour et ne se sent plus attaqué.

## L'enfant avant valorisation affective

N.B. L'enfant dévalorisé ne présente pas nécessairement tous les signes de dévalorisation qui vont être mentionnés. Cette « liste » n'est évidemment pas exhaustive.

Il est distant envers ses parents et refuse de les embrasser. Il est jaloux de ses frères et sœurs, des attentions de son institutrice envers les autres enfants et des amitiés de ses amis pour d'autres enfants. Il est physiquement et verbalement agressif envers les gens et les objets. Il dit qu'on ne l'aime pas.

De façon excessive, il s'isole, se parle tout seul, s'invente un monde à part, ou parle aux animaux. Il est renfermé, replié sur lui-même, il refuse de raconter ce qui se passe à l'école, il est rouspéteur et grognon. Il parle vite comme s'il avait peu de temps pour dire ce qu'il a à dire.

C'est un enfant qui a tendance à fuir la maison et à aller jouer ailleurs pour rechercher ce qu'il ne trouve pas chez lui. Il évite d'inviter des amis chez lui ; ce sont parfois ses parents qui lui refusent ce geste.

À l'école ou à la maison, il ne travaille que si on le regarde ou si l'on se tient près de lui. Il se montre indiscipliné et participe à tous les mauvais coups (bagarres, etc.). Il n'en fait souvent qu'à sa tête, selon son désir et non selon son devoir. Il alterne les bons et les mauvais coups pour démontrer qu'il peut aimer : il peut être extraordinaire chez les voisins et à l'école mais tout à fait détestable à la maison.

Il sait ce qu'il a à faire mais se montre désintéressé, désabusé. Il peut refuser d'aller à l'école.

## L'enfant après valorisation affective

Il accepte mieux les contrariétés, il est moins rouspéteur, plus raisonnable, plus sage, plus calme.

Il est plus autonome et moins exigeant : il se sert lui-même au lieu de crier pour qu'on le serve.

Il ne fait plus de cauchemars, ne craint plus l'obscurité (la fameuse « peur du noir ») : il accepte donc de dormir même si la porte de sa chambre est fermée.

Il ne manifeste plus d'accès de jalousie.

Il se détache sans méchanceté et progressivement de ses mauvais amis au fur et à mesure qu'il prend lui-même conscience de leurs défauts.

Il développe un bon sens critique face à ses amis, ses parents, ses frères et sœurs ; il est plus tolérant envers eux et ne les étouffe plus de sa présence. Il ne les hisse pas sur un piédestal, ne les enfonce pas non plus.

Il est moins distant, plus affable ; il salue et parle spontanément aux gens.

## L'adulte avant valorisation affective

N.B. L'adulte dévalorisé ne présente pas nécessairement tous les signes de dévalorisation qui vont être mentionnés. Cette « liste » n'est évidemment pas exhaustive.

### — Face à lui-même et aux autres

L'adulte dévalorisé au niveau affectif n'est pas heureux, il est toujours insatisfait. Il se croit mal aimé de son conjoint. Il n'est jamais certain, au fond de lui-même, de l'amour de l'autre, même si celui-ci l'aime. Il exige des preuves d'amour et veut continuellement être rassuré. Il ne croit pas en la gratuité de l'amour des autres. Quand « tout va trop bien », il s'arrange pour ramener cet amour à un niveau plus acceptable en commettant une bourde quelconque : trop de bonheur le rend instable et lui fait perdre sa sécurité ; il croit d'ailleurs qu'il n'y a pas droit.

Il ressent en lui une grande solitude, ne se sent jamais bien nulle part et se sent mal à l'aise s'il reste trop longtemps au même endroit. Certains adultes dévalorisés sont même portés à toujours fuir la maison.

Cet adulte considère parfois son conjoint, ses enfants, ses amis et d'autres personnes comme des possessions, des objets dont il peut disposer à sa guise : (Exemple donné par un jeune homme : « une femme ne rapporte rien si elle ne travaille pas ».) Il peut faire passer ses plaisirs avant ceux des autres, arranger ses petites affaires et refuser de participer aux activités de son conjoint.

Il est rancunier. Il est jaloux, surtout des amitiés entre son conjoint et d'autres personnes. Il peut même être jaloux de l'affection de son conjoint envers les enfants. Parfois soupçonneux, il questionne sans raison son conjoint sur toutes ses allées et venues.

Il peut ne pas apprécier les valeurs familiales de sa belle-famille et faire passer les valeurs de sa famille avant tout.

Il se fait bouffon pour cacher ses peines mais il prend mal les taquineries, parce qu'il se croit toujours visé.

Il peut geindre en parlant et tout raconter dans le menu détail avant d'en arriver aux faits.

Il se sent délaissé si le conjoint s'absente.

Il est porté sur la manipulation et le chantage : « personne ne m'aime dans cette maison, personne ne veut rien faire pour moi ».

Il est soupe au lait, agressif, peu compréhensif et intolérant.

Il accepte mal qu'on pénètre dans son espace vital mais se permet facilement de pénétrer dans celui des autres.

## — Face aux enfants

Il peut s'amuser avec les enfants au point de les faire pleurer, il leur crie après, leur répète continuellement ses directives, ou refuse de jouer et de parler avec eux si cela le dérange trop. Il se trompe de prénom en les appelant. Il refuse d'aller voir leurs réalisations. Il punit l'enfant en l'isolant pour des périodes trop longues ou trop courtes pour l'âge de l'enfant.

Il peut devenir physiquement violent envers ses enfants ou se montrer masochiste, si lui-même n'a connu que cette forme d'amour de la part de ses propres parents ou si ceux-ci ont été trop permissifs. En effet, plusieurs parents m'ont révélé qu'ils étaient satisfaits lorsque leurs propres parents les battaient : on s'occupait d'eux. Cette forme négative de l'amour a certainement à leurs yeux plus de valeur que l'indifférence. Il est aussi probable que cette attention imprégnée de violence est moins difficile à supporter que l'indifférence qui crée chez l'enfant un sentiment d'abandon.

Cet adulte dévalorisé peut aussi se montrer dominant, sévère et écrasant, au point de ne laisser à l'enfant aucune initiative, aucun moyen d'expression et de ne s'occuper de lui que pour lui donner des ordres ou le réprimander.

Parfois, après avoir souffert d'un grand déficit affectif de la part de ses propres parents, l'adulte, par « surcompensation », fait passer les enfants et le conjoint avant lui-même, tout en se répétant silencieusement : « Je penserai à moi plus tard, quand les petits seront grands ». En temps ordinaire, il semble que l'ordre séquentiel des besoins est plutôt celui-ci : « moi, mon conjoint, les enfants, les parents, les voisins, la société » ; en cas d'urgence (un enfant malade), il faut évidemment parer au plus pressé. Le fait que l'adulte, en situation normale, ne respecte pas cet ordre, révèle chez lui un déséquilibre.

Il peut somatiser en manifestant un plus grand besoin de sommeil, en souffrant de migraines, de claustrophobie, de vomissements, de pertes de conscience, de tics, de bégaiements, de crises d'asthme ou d'hystérie, etc.

### — Au travail

Il peut se fâcher ou devenir méfiant si ses compagnons de travail ont une conversation commune : il accepte mal d'être dérangé. Il n'ose pas s'excuser d'un retard en utilisant une raison d'ordre affectif : il ne se pense pas crédible.

## L'adulte après valorisation affective

### — Face à lui-même

L'adulte qui s'est valorisé au niveau affectif sait qu'il a le droit d'aimer et de s'aimer.

Il cesse de monologuer. Il accepte de demeurer seul, y trouve plaisir et ne ressent plus de vide. Il se sent capable de sortir seul. Il se donne du temps pour se reposer, pense à lui-même et s'offre des douceurs.

Il a le goût de vivre, il est plus détendu, moins nerveux et moins anxieux, moins geignard, plus mûr ; il est en possession de tous ses moyens, il se sent moins lourdaud et plus souple, il dort moins, il est patient et de bonne humeur.

Il ne « monte plus sur ses grands chevaux ».

Il n'est plus défaitiste : les « qu'est-ce que ça donne ? ! », « pourquoi ou pour qui ferais-je cela ? » disparaissent. Il accomplit ses projets d'ordre affectif, ceux qu'il a en commun avec d'autres et, enfin ! les siens.

Il a le goût de rénover son logis ou l'extérieur de sa maison. Il essaie toutes sortes d'activités nouvelles (bricolage, couture, etc.).

Il se sent capable de regarder les autres.

### — Face aux autres

Il ne se sent plus seul ou délaissé à l'intérieur d'un groupe.

Son espace affectif vital s'élargit : il y accepte chaleureusement ceux qu'il aime. Il peut leur dire des paroles tendres, jouer avec ses enfants, en retirer un grand plaisir et leur donner du temps sans se sentir frustré. Il se perçoit comme un bon parent qui ne surprotège plus et ne domine plus ses enfants mais qui répond à leurs besoins. Il échange d'égal à égal avec son conjoint. Il peut se rendre à l'école défendre ses enfants face au directeur, et exiger justice sans s'emporter. Avec ses enfants, il répète moins et agit davantage.

Il manifeste plus souvent et plus rapidement ses émotions, dit ce qu'il pense avec franchise et délicatesse, sans gêne ni timidité, d'une voix assurée et ferme.

Il n'agit plus seulement par réaction et contre-réaction. Il se situe rapidement face aux autres car il connaît maintenant le juste milieu. Il est persuadé de l'amour des autres et il aime sans s'attendre à être payé de retour car il a maintenant de l'amour « à revendre ».

Il rit sans exagération, ne ressent plus le besoin d'être bouffon.

Il ne provoque plus malicieusement à travers des taquineries mesquines ; s'il se sent visé, il demande en toute simplicité des explications. Il sait se défendre et se faire respecter par sa famille, ses ami(e)s, et il ne se laisse plus abuser.

Il peut s'exprimer sans refoulement, sans peur. Il ne ressent plus « cette peur indicible qui lui collait toujours aux fesses ».

Les gens se sentent en confiance avec lui : ils viennent lui parler spontanément, lui demander conseil. Il accepte de les écouter et il va de lui-même leur parler s'il en ressent le besoin.

Si on le félicite sur son comportement agréable et sur sa maturité, il prend le compliment tout simplement, sans en tirer orgueil, profit ou ombrage ; c'est d'ailleurs certainement à cause de cela qu'on le complimente car il connaît sa juste valeur.

Il accepte de se tromper, s'excuse volontiers, et répare en toute humilité.

Il se montre satisfait de ses sorties en groupe.

Il arrive en avance à ses rendez-vous au lieu d'être toujours en retard.

Il se moque des « qu'en dira-t-on ? » mais respecte les besoins des autres.

### — Au travail

Il s'entend mieux avec les autres membres du personnel. Il se montre moins stressé, il exécute ses tâches de façon détendue. Il est moins têtu. Face au patron, il peut exprimer ses besoins, alors qu'auparavant il aurait tenté de changer de patron ou de changer de milieu.

## L'enfant avant valorisation corporelle

N.B. L'enfant dévalorisé ne présente pas nécessairement tous les signes de dévalorisation qui vont être mentionnés. Cette « liste » n'est évidemment pas exhaustive.

### — Face à lui-même

Habituellement, l'enfant qui se dévalorise dans son corps a du mal à lancer un objet, il contrôle mal la direction qu'il doit donner à son geste pour atteindre la cible. Il n'aime pas les sports. C'est un véritable Gaston Lagaffe : il échappe tout, s'empêtre dans les lignes blanches comme dans ses paroles. Il entend mal et voit mal.

Il laisse traîner ses vêtements et le reste un peu partout pour forcer ses parents à toucher ce qui concerne son corps.

Il se montre quasi insensible à son corps.

Il bafouille en parlant, peut faire des inversions en écrivant ou en parlant. Il peut bégayer.

Il se montre souvent claustrophobe, il dort mal, est geignard.

## — Face à autrui

On dit souvent de lui qu'il est distant et qu'il n'aime pas se faire caresser. En réalité, c'est parce que ses parents, ou l'un des parents, ne le caressent pas.

Jeune, il peut être porté à briser les biens matériels de celui qui ne le caresse pas ; il peut le mordre ou le frapper, l'ignorer. Il peut devenir craintif et timide.

C'est habituellement un enfant qui exécute des mauvais coups d'ordre matériel.

À l'école, ce peut être aussi un enfant violent avec ses copains.

Il est porté à rechercher la caresse des autres adultes ou des enfants de son âge possédant le profil du parent dévalorisant.

À l'adolescence, il risque d'abuser facilement des drogues ou d'offrir son corps à d'autres, puisque pour lui son corps ne vaut pas grand chose. D'ailleurs, la jeune fille dévalorisée dans son corps attache énormément d'importance au maquillage et à son apparence, en vue de cacher ce corps. Souvent, elle « pique une crise », même devant ses amies les plus intimes, si on la surprend privée de tous ses atours ; à tout le moins elle se sent très « mal dans sa peau ».

## L'enfant après valorisation corporelle

L'enfant accepte et rend les caresses avec grâce.

Il lance droit, digère mieux, parle bien, dort bien.

Il voit mieux et entend mieux. Dans certains cas, son strabisme et d'autres problèmes de vue peuvent diminuer.

Il est moins distrait.

Il aime les sports, etc. (voir adulte)

# L'adulte avant valorisation corporelle

N.B. L'adulte dévalorisé ne présente pas nécessairement tous les signes de dévalorisation qui vont être mentionnés. Cette « liste » n'est évidemment pas exhaustive.

## — Face à lui-même

L'adulte dévalorisé au niveau corporel se sent mal dans son corps et manque de confiance en celui-ci. Il a l'impression de marcher mal, parfois en zigzag, surtout s'il est en public. Il s'empêtre dans ses pieds, dans les ombres de la chaussée ou dans ses paroles ; il se cogne dans les cadres de porte ou dans les gens. Il échappe, brise ou ébrèche aisément les objets. Il est maladroit et peut craindre d'entreprendre une tâche par crainte de manquer son coup : un gâteau, une réparation, etc.

Ses lancers sont imprécis. Il abhorre les sports car il s'y sent très gauche ; il déteste aussi préparer des repas. Au contraire, il peut décider de s'y mettre à fond pour s'améliorer ou défier son parent dévalorisant.

Il fait répéter les gens, regarde et sent toujours deux fois les choses car il entend mal, voit mal et sent mal.

Sa peau est habituellement très sèche sur le corps et grasse sur le visage.

Il digère mal, il est sujet à des coliques, des gaz, des éructations et des ballonnements. Il est souvent constipé. Il mange plutôt vite et sans déguster, sans y trouver plaisir, comme par obligation.

Il somatise surtout au niveau de ses faiblesses génétiques : acné, psoriasis très prononcé, douleurs articulaires, douleurs menstruelles très fortes, engourdissements, enflures, étourdissements, etc.

Il peut souffrir de claustrophobie très accentuée s'il est de profil auditif, moindre s'il est de profil visuel.

Il parle habituellement d'une voix voilée. Il a le verbe saccadé, robotique, un peu explosif et mal articulé. Il ne peut que très difficilement exprimer ses sentiments.

Lorsqu'il écrit vite, son écriture devient illisible.

Il refuse habituellement de voir ou d'écouter son corps, sa fatigue, la maladie. Il pousse son corps au-delà de ses limites et le considère comme un objet. Il peut aussi bien dire « au diable le corps ! » que le surprotéger à en devenir hypocondriaque.

## — Face aux autres

Il abhorre le désordre des autres, surtout s'il s'agit de ramasser les fouillis de ses enfants ou de son conjoint. Mais il est parfois lui-même très désordonné.

Il exècre se faire toucher par certains de ses enfants, surtout ceux possédant le profil de son parent dévalorisant : ça lui donne la chair de poule.

Il est porté à critiquer les défauts des possessions d'autrui (maison, automobile, articles de sport, vêtements, maquillage, etc.) sans voir leurs aspects positifs.

Même à la maison, en présence de leur conjoint ou de leur entourage immédiat, la femme dévalorisée se surmaquille tandis que l'homme dévalorisé porte un soin excessif à son apparence.

L'adulte dévalorisé réajuste continuellement ses vêtements en public ; chez lui, l'apparence passe avant tout : auto, vêtements de luxe, superbes réceptions, etc. Il refuse de porter ses lunettes en public. Au contraire, ce peut être une personne qui se moque de tout et néglige gravement son apparence, celle de son milieu et l'entretien de ses biens.

Il peut être envieux et possessif à l'excès à l'égard des biens matériels, toujours insatisfait, parfois quémandeur, insatiable. À l'inverse, il peut avoir l'impression que rien ne lui appartient, et il peut tout donner, même à son propre détriment.

Il ne peut sortir seul, il se sent mal et pas en sécurité ailleurs que chez lui.

Il se croit laid ou doute fortement de sa beauté. Il ne croit pas aux compliments des autres ou s'en enorgueillit outre mesure.

En amour, il donne son corps comme un objet, par devoir ou par nécessité. Il en retire très peu de jouissance. Il ne croit pas qu'on puisse l'aimer dans son corps et il est porté à rechercher un amour toujours impossible à combler. Il est très peu porté à toucher son conjoint ; il est gêné de le faire.

## L'adulte après valorisation corporelle

### — Face à lui-même

Il est bien dans sa peau, il a plus confiance en son corps, il se sent plus léger et plus naturel.

Sa peau devient plus souple, plus douce et plus huileuse sur le corps, moins grasse sur le visage.

Dans plusieurs cas, l'acné disparaît en moins d'un mois ; le dermatologue n'y comprend rien, lui qui voulait entreprendre un traitement à l'acutane. Le psoriasis peut aussi disparaître en un laps de temps très court.

Il marche droit, sans hésitation et ne se cogne plus.

Il entend mieux, ne fait plus répéter et sa vue est meilleure. Il n'inverse plus les mots. Sa voix est plus assurée, plus forte, plus fluide, moins saccadée. Il n'hésite plus en parlant, ne ravale plus, ne geint plus ; il peut dire ce qu'il pense et exprimer ses sentiments sans aucune difficulté.

Il digère mieux, il n'est plus constipé. Dans plusieurs cas, les douleurs corporelles disparaissent. Sa claustrophobie disparaît en totalité ou en partie.

Maintenant qu'il connaît mieux les limites de ses capacités corporelles, il prend plus grand soin de son corps qui lui apparaît beau et agréable. Au lieu de se fâcher, il se couche plus tôt s'il se sent fatigué.

Son énergie s'accroît ; son besoin de sommeil diminue et il dort paisiblement.

Il est plus adroit dans ses activités sportives.

Il est plus calme, plus serein, plus détendu, il a l'impression d'avoir mûri, changé.

Il accepte maintenant ses petits défauts corporels sans tenter de les dissimuler.

Il ne ressent plus cet insatiable besoin de biens matériels qui lui apparaissent maintenant secondaires.

Il apprécie davantage, mais sans excès, tout ce qui entoure son corps : ses vêtements, ses meubles, sa maison. Il trouve tout beau. Il se sent bien à la maison, il la redécore, l'entretient sans excès et aime y « faire la popote ». La nature lui semble belle. Il ne panique plus ou ne se sent plus mal à l'idée d'aller se promener ailleurs ou de travailler dans une autre ville. Il se sent bien partout.

### — Face aux autres

Il voit les autres tels qu'ils sont, avec leurs défauts et leurs qualités physiques ; il ne les juge pas et apprécie plutôt leurs qualités. La façade ne compte plus pour lui, ce n'est plus « l'habit qui fait le moine ». La femme se maquille et s'habille de façon plus discrète. Cet adulte ne passe plus son temps devant le miroir et ne vérifie plus son apparence vestimentaire lorsqu'il est en public. Il accepte davantage d'inviter les gens chez lui, d'une manière relaxe, sans angoisse. Il pense plus à lui et moins aux « qu'en-dira-t-on ? ».

Il caresse spontanément ses enfants et son conjoint et se laisse caresser, sans que cela le hérisse et sans se plaindre. Il accepte plus aisément l'intimité familiale ; les fouillis des enfants et du conjoint l'irritent moins.

Plus conscient de sa beauté, il ne s'en sert plus pour assouvir ses convoitises. Il reste simple si on le complimente sur sa beauté. Les autres lui avouent spontanément le trouver beau, parce qu'il est fier mais sans orgueil.

## — Au travail

Il est moins distrait. Il oublie moins souvent ses outils, comme s'ils faisaient corps avec lui.

Il anticipe avec plaisir le travail manuel et n'attend plus la dernière minute pour s'y mettre ; ce n'est plus une corvée.

## — Dans ses relations sexuelles avec son conjoint

Son appétit sexuel s'accroît. Il peut faire part de ses désirs personnels, rechercher pour lui-même plaisir et satisfaction et atteindre l'orgasme. Ses mouvements sont plus souples.

S'il se permet de faire des avances, il sait aussi opposer un refus avec douceur, aisance et confiance. La notion de devoir conjugal disparaît complètement.

## — En résumé

Ses relations avec son conjoint et les autres adultes sont des relations d'égalité. Il en est de même avec ses enfants quoiqu'il reste maître de la situation.

# L'approche thérapeutique

## — Le droit de l'enfant à son plein développement

L'enfant, de par sa constitution, est un être en transformation rapide, en apprentissage intensif, il est donc continuellement à l'écoute sur les trois niveaux. Par conséquent, il est très malléable.

À tous les niveaux, que ce soit dans les relations parents-enfants ou entre conjoints eux-mêmes, peuvent intervenir des relations d'égalité ou des relations de domination (permissivité, agressivité, indifférence, rejet ou soumission).

Les images d'interdiction, de tolérance ou de permission transmises par les parents s'impriment dans l'inconscient de l'enfant et le rendent plus ou moins apte ou inapte à utiliser ses facultés intellectuelles, affectives, corporelles ou autres.

TOUT ENFANT A DROIT à l'utilisation maximale de ses capacités à tous les niveaux, telles qu'il les a reçues dans son bagage génétique lors de la conception. Ce bagage, cet héritage façonné et transmis à travers des milliers de générations, s'avère d'une richesse incroyable pour tous. Il existe et ne demande qu'à s'actualiser, s'exprimer et s'épanouir dans un milieu tolérant, chaleureux et nourrissant.

Lorsqu'un parent ne se DÉPLACE pas pour son enfant, ne lui dit pas qu'il l'AIME et, ne le CARESSE pas, surtout au moment des appels (voir le chapitre sur « Les différentes phases du développement de l'enfant. »), tout se passe comme si l'enfant recevait dans son inconscient l'ordre de ne pas utiliser ses capacités au niveau où on le prive. La puissance de cet ordre est directement proportionnelle au degré de privation que les parents font subir à l'enfant.

Il se produit à ce moment un arrêt partiel ou total de son développement, faute de nourriture adéquate. Sa capacité maximale existe toujours, mais il ne peut l'utiliser, la développer, ni l'actualiser pleinement. Mais tout comme une plante à laquelle on redonne des soins et qu'on arrose à nouveau, le développement peut redémarrer et aboutir à l'épanouissement total.

Il n'y a pas d'âge limite où l'enfant et l'adulte ne peuvent se débloquer et se revivifier.

L'enfant ne peut pas ne pas vouloir développer ses potentialités ; en fait c'est tout ce qu'il demande. Plus ses parents lui donnent, en restant dans un juste milieu, plus il devient « DONNANT ».

Quand il reçoit l'autorisation de ses parents d'utiliser ses capacités à un degré optimal, il ne se sent plus privé, il n'a plus à chercher constamment à combler un manque ; il n'est plus « accaparant ». Il s'épanouit en produisant tant de fleurs et de fruits qu'il ne sait qu'en faire. Il devient donc « DONNANT », prévenant, agréable, heureux.

Il trouve son bonheur en lui-même, il se sent riche à craquer.

Il perçoit les autres selon leur juste valeur et sans aucune jalousie.

Il reconnaît ses droits et ses devoirs et fait son chemin en s'adaptant bien aux normes sociales tout en sachant faire la part des choses.

En un mot, c'est un enfant équilibré et de plus en plus autonome.

## — Le rôle du thérapeute et des parents

L'enfant en difficulté est presque toujours un enfant qui subit une ou plusieurs dévalorisations inconscientes, involontairement transmises par l'un de ses parents ou par les deux.

Le rôle du thérapeute consiste à rendre les parents conscients de leur propre rôle dévalorisateur face à l'enfant et conscients de leur propre dévalorisation. L'identification des dévalorisations de l'enfant est relativement facile : elles sont souvent le sujet de plaintes de la part des parents, des professeurs, des voisins ou même de l'enfant. Ensuite, tout en excusant les facteurs extérieurs, le thérapeute doit rechercher les causes des dévalorisations de l'enfant dans les dévalorisations des parents, celles-ci étant dues à leurs parents, à leurs grands-parents ou à des causes circonstancielles : décès d'un des parents, milieu de vie particulier (pensionnat par exemple), valeurs de l'époque (ère victorienne, etc.) ou à d'autres causes (que j'aborderai dans un second ouvrage).

Le thérapeute doit donc bien identifier toutes les dévalorisations des parents en leur démontrant sans équivoque qu'ils en manifestent bien les signes tels qu'ils sont décrits dans ce chapitre.

Le thérapeute doit ensuite expliquer cette démarche aux parents de façon à ce qu'ils puissent se prendre eux-mêmes en charge et se donner les moyens de consoler les manques dont ils ont plus ou moins souffert selon le degré de leur déficit.

L'enfant, tant qu'il n'est pas adulte et parce qu'il est un être en transformation, demeure à la merci de ses parents ou de certains adultes responsables. Plus il est jeune, moins il est maître de sa destinée ; plus il grandit, plus il devient conscient et autonome. Toutes les informations venues des adultes s'inscrivent dans sa conscience et dans son inconscient. Il n'est pas maître des informations inscrites dans son inconscient, même devenu adulte, à moins d'en prendre complètement conscience.

Lorsqu'il est adulte, il peut décider par lui-même s'il veut prendre le risque d'être plus heureux en se lançant dans un inconnu... qui cependant l'effraie : il va alors à l'encontre des interdits de ses « dieux parentaux ». En effet, ses parents sont encore des dieux pour lui, il les a idéalisés de façon positive ou négative s'ils ne lui ont pas donné tout ce à quoi il avait droit.

Tout individu a droit à l'utilisation de toutes ses capacités intellectuelles, affectives, corporelles et autres. Rien ne peut justifier le retrait de ce droit. S'il lui faut absolument une permission pour « reprendre » ce droit, c'est au thérapeute de la lui donner.

Par la suite, il faut expliquer aux parents comment répondre à l'appel de l'enfant (voir « Les différentes phases du développement de l'enfant. »). Si l'enfant se situe dans un stade en dehors des appels, le mieux est de demander aux parents de déclencher artificiellement l'appel chez l'enfant en agissant comme si celui-ci appelait sa mère ou son père. Dans ce cas, les parents se rendent auprès de l'enfant, lui demandent ce qu'il veut, se mettent à son écoute et s'intéressent à ses faits et gestes.

Dès que l'enfant appelle le parent, celui-ci doit se rendre immédiatement auprès de lui et répondre à son besoin en le valorisant. Par précaution, il vaut mieux demander aux parents de valoriser l'enfant sur les trois niveaux à la fois : cela constitue d'ailleurs un bon exercice pour les occasions futures. Voici les phrases clefs que doivent dire les parents : « je t'aime donc ! » « comme tu es intelligent ! » en les accompagnant d'une caresse.

Les parents doivent utiliser cette méthode pendant deux mois sans se décourager. L'enfant ne demande pas mieux que d'être aimé et d'aimer mais il est réticent au début ; il peut même trouver son parent bizarre. Il ne veut pas lâcher la proie pour l'ombre. Il peut même dire : « tu fais cela parce que le docteur te l'a dit ». L'enfant exige des preuves absolues d'amour ; il s'arrange alors pour appeler le parent lorsqu'il est occupé au téléphone, en conversation avec une autre personne, ou en train de relaxer confortablement. L'adulte doit malgré tout répondre immédiatement à l'appel de l'enfant s'il veut que celui-ci se développe pleinement.

L'enfant, durant cette période, fait généralement quelques vérifications pour s'assurer que ses parents l'aiment sans restriction, même s'il ne réussit pas, même s'il se montre détestable ou très gauche.

Après un certain nombre de réponses positives de la part des parents, l'enfant perd d'abord toute agressivité physique, s'il en avait puis toute agressivité verbale. Enfin, les signes de valorisation et de bonheur réapparaissent graduellement. En moins de deux mois, la récupération est presque totale.

À cette étape, parents et enfant connaissent leur rôle, ils démontrent plus de tolérance et apprécient davantage le moindre effort de l'autre, tout en cherchant à l'encourager. Il faut bien savoir que l'enfant, même à l'adolescence, n'a pas le niveau de conscience d'un adulte. Il absorbe et comprend selon son âge, selon la capacité actuelle de ses divers niveaux.

La personne adulte, si elle décide de se prendre en charge en réfléchissant sur ses propres dévalorisations et sur leurs origines, prend rapidement conscience du non fondé de ces dévalorisations et s'en trouve ainsi délivrée. Elle n'y voit pas très clair au cours de la première semaine, et parfois au cours de la deuxième dans les cas de dévalorisations multiples ou très profondes. Ensuite elle se sent en paix avec elle-même ; les signes de valorisations apparaissent très rapidement. Habituellement, lors de la deuxième visite, au bout d'un mois, la personne sait qu'elle se valorise, qu'elle est sur le bon chemin et elle est parfaitement consciente d'atteindre son objectif.

En général, on remarque chez la femme une plus grande volonté de valorisation que chez l'homme. C'est certainement dû à l'état symbiotique existant entre la mère et l'enfant. La mère accepte mieux de changer pour son enfant, car elle souffre davantage, à la fois en elle et pour lui.

Il est à noter que toutes ces discussions et ces explications ont toujours lieu en présence de tous les intervenants, parents et enfant, comme le préconise l'approche selon les profils.

## Un dialogue révélateur

Pour « imager » ce chapitre, voici trois faits vécus de façon similaire par trois femmes différentes, et que je présente en un seul dialogue.

Lors du traitement d'un enfant hyperactif, je me suis rendu compte qu'une de ces femmes se dévalorisait, tout particulièrement aux niveaux corporel et affectif. Je lui posai certaines questions ; voici ce qui s'ensuivit :

« *Docteur*. — *De quelle façon votre mère vous traitait-elle et que vous disait-elle lorsque vous étiez enfant et adolescente ?*

*Madame*. — *Maman me disait que j'étais une « super bol », une « super intelligente ». Elle avait entièrement raison ! Car aucun problème intellectuel ne me rebute. Je comprends tout ! Si je voulais étudier la théorie d'Einstein, ça ne serait que de la petite bière pour moi !*

*Docteur*. — *Je vois d'après le pétillement dans vos yeux que votre mère avait raison, mais vous disait-elle autre chose ?*

*Madame*. — *Elle me disait que j'étais laide, que je ne saurais jamais danser, que je ne pourrais jamais être bonne en sport. Elle me disait souvent : « si je t'achetais une robe de quatre cents dollars pour te la mettre sur le dos, cette robe aurait l'air d'un torchon ! » Elle avait raison maman ! Car j'ai toujours été gauche et maladroite, Il en coûte trois services de vaisselle par année à mon mari ! Dès que je touche aux appareils électroménagers, je les mets en morceaux ; même mes vêtements ne me résistent pas. Mon mari excédé, me dit souvent : « tu vas me ruiner ! Ne touche à rien ! Je vais m'occuper du matériel, occupe-toi à la lecture ! »*

*Docteur*. — *Objectivement, je ne vois pas en quoi vous vous trouvez moins belle qu'une autre femme ! Mais votre mère vous disait-elle autre chose ?*

*Madame*. — *Elle me disait que je n'étais pas aimable et que je ne saurais jamais aimer. Elle avait raison maman ! Car dès que je regarde mes enfants, ils pleurent et disent que je ne les aime pas et que j'ai des flammèches dans les yeux : je suis tellement agressive ! Si je leur parle, je leur dis toujours ce qu'il ne faut pas dire. Mon mari, dès qu'il arrive à la maison, s'oc-*

*cupe d'eux et me recommande de retourner à ma lecture… et je le comprends !*

*Docteur. — Vous avez une sœur aînée ; que lui disait donc votre mère ?*

*Madame. — Maman lui disait : « tu es super belle ! » et c'est vrai ! Tout lui va bien, sa démarche est superbe et son corps est vraiment magnifique. Par contre, maman lui disait : « comme tu es niaiseuse et peu intelligente ! ». Vous savez, docteur, on ne peut comprendre les mots qu'elle écrit ; elle sait à peine compter, n'ayant réussi qu'une deuxième année de son primaire. Maman, de plus, lui disait qu'elle était froide et ne saurait jamais aimer ; elle avait raison ! car elle est maintenant divorcée et vit dans le logement contigu à celui de maman, de façon à ce que celle-ci puisse la conseiller et prendre soin de ses trois enfants.*

*Docteur. — Est-ce que votre sœur travaille ?*

*Madame. — Oui docteur, elle est « danseuse à gogo ». Maman trouve ça bien pour elle. Elle m'aurait bien tuée si j'avais fais ça ! »*

*Docteur. — Vous avez un frère, je crois ; que lui disait donc votre mère et qu'est-il devenu ?*

*Madame. — Mon frère a toujours été le préféré de ma mère. C'était « l'amour infini ! ». D'ailleurs, tous les gens l'aiment et vont lui parler ; il est tellement aimable ! Par contre, elle le trouvait très laid et absolument pas intelligent.*

*À l'âge de quinze ans, c'était un vrai délinquant : il brisait des vitrines de magasin, il faisait des coups pendables et mes parents l'on fait entrer de force au Collège Militaire. C'est lui qui s'en est tiré le mieux.*

*Docteur. — Je suis d'accord ; dans l'armée on l'a certainement valorisé corporellement car il a dû se mettre au pas. La camaderie a dû lui être aussi d'un* précieux apport pour sa valorisation corporelle et intellectuelle.

Mais qu'a donc fait votre grand-mère à votre mère ?

Madame. — Je hais ma grand-mère pour tout ce qu'elle a fait à ma mère, et je ne comprends pas comment ma mère peut continuer à l'aimer, à lui rendre visite ou à l'appeler presque tous les jours.

Docteur. — Une mère demeure toujours une mère, elle est déifiée, surtout par son enfant en déficit, qui recherche encore la revalorisation de sa mère malgré son âge avancé. Vous aimez bien votre mère ; ne croyez-vous pas que celle-ci ait autant le droit d'aimer la sienne ?

Madame. — Grand-maman ne s'est jamais mariée. À soixante-douze ans, elle a toujours son « fan club » ; mais lorsque maman avait quatre ans, il était paraît-il beaucoup plus vaste. Elle décida, « pour des raisons d'éthique », de placer maman dans un orphelinat tenu par des sœurs. Maman y demeura jusqu'à l'âge de dix-huit ans. Grand-maman allait rendre visite à maman une fois par mois.

Docteur. — Je comprends maintenant pourquoi votre mère a présenté des comportements différents envers vous, votre frère et votre sœur. Ce n'est certainement pas sa faute, ni celle de votre grand-mère qui, dans les circonstances, a cru faire pour le mieux.

On peut mieux comprendre le comportement de votre mère à l'égard de ses enfants en analysant le milieu communautaire religieux dans lequel elle a grandi. On y trouve trois types différents de sœurs aimantes : d'abord, une sœur valorisant l'affectif, aimant tous les enfants à ce niveau ; ensuite, une sœur valorisant l'intelligence, décelant de l'intelligence en tous sous une forme quelconque : « tu possèdes donc

146

*un bon raisonnement ! », « tu es donc habile de tes mains ! », « comme tu dessines bien ! » ; enfin, une sœur valorisant le corps pouvant déceler quelque chose de beau en chaque enfant : « comme ton nez est beau ! », à l'autre : « quels beaux cheveux tu as ! », et à un autre : « comme ta démarche est élégante ! ».*

*Votre mère a reçu inconsciemment un message de la part des adultes responsables qui se sont occupés d'elle à l'orphelinat : la même personne ne peut pas l'aimer sur les trois niveaux et elle ne peut aimer les autres sur les trois niveaux à la fois. Elle a donc agi de la même façon envers ses enfants : en vous accordant uniquement l'intelligence, à votre sœur uniquement la beauté, et à votre frère l'amour affectif. »*

## Conclusion

Pour s'épanouir, l'enfant et l'adulte ont besoin d'être aimés sur les trois niveaux. Leur refuser cet amour ne peut qu'entraver leur développement et déclencher en eux des troubles réactionnels qui leur nuisent et nuisent aux autres.

Ce qui étonne, c'est cette volonté profonde et constante d'échapper à la souffrance occasionnée par l'impossibilité d'utiliser tout le potentiel, impossibilité qui résulte elle-même d'un amour restrictif. Mais c'est aussi cette même souffrance, le désir de s'en défaire, d'en soulager les autres et d'atteindre au bonheur qui amènent ces gens à entreprendre une démarche libératrice.

Mais la libération ne peut être obtenue que par la recherche et la mise à jour des causes précises des dévalorisations inconscientes. Ce qui ne peut se faire qu'avec la pleine confiance et la participation entière de tous les intervenants. L'autovalorisation de l'adulte et sa valorisation de l'enfant s'accomplissent alors aisément et rapidement.

# LES DÉFICITS LES PLUS FRÉQUENTS CHEZ LES « AUTISTES » ET LES « HYPERACTIFS »

Dans la première partie de ce chapitre, je présente les déficits d'enfants âgés de plus de neuf mois. Dans la seconde partie, je présente des histoires d'enfants plus jeunes.

## PREMIÈRE PARTIE

### À la première visite

#### La présence des deux parents

Je tente d'obtenir la présence des deux parents et de l'enfant pour l'entrevue, En effet, souvent l'un des parents se souvient de détails et de faits dont l'autre ne se souvient pas parce qu'il n'y a pas attaché d'importance. De par leurs profils différents les parents n'ont pas donné les mêmes dimensions au même phénomène.

#### Explications données aux parents

Au cours de cette entrevue, j'explique aux parents que leur enfant se comporte comme s'il n'était pas encore né, même s'il est bien là ! Il n'est pas conscient de son existence, ni de son intelligence, de ses affects ou de son corps. Il n'est donc pas autonome.

Il se comporte comme une « sonde spatiale » plus ou moins perfectionnée selon la gravité de son déficit ; il sent, regarde, écoute tout, touche et goûte à tout. Toutes les informations perçues par ses sens s'enregistrent en vrac dans sa mémoire. Par contre, sa centrale d'analyse et d'association de ces informations n'est pas située dans son cerveau, mais bien dans celui de sa mère ou de la personne responsable de lui.

Tant qu'il n'a pas reçu l'autorisation d'ÊTRE, il perpétue sa symbiose totale avec sa mère et demeure greffé à celle-ci comme un membre additionnel (« bras spatial »). Il se comporte donc un peu comme un objet parmi les objets, ou comme un animal perfectionné, puisqu'il ne peut qu'à peine s'identifier ; on peut constater ce fait même chez les sujets légèrement atteints.

### Remarques

Le cerveau humain possède une mémoire d'une telle puissance que les sujets légèrement et modérément atteints peuvent enregistrer des ordres très complexes à force de répétitions et de dressage ; ces sujets peuvent donc exécuter des tâches assez complexes. Cependant, à la moindre modification du rituel, ils perdent les pédales et peuvent devenir agressifs, incontrôlables (sujets de profil visuel) ou bien ils se retirent (sujets de profil auditif).

Ils ne peuvent exécuter deux ordres simples et nouveaux lorsqu'on leur demande de les accomplir de façon successive (porter un objet dans une pièce et en rapporter un autre). Ils restent pantois après l'exécution du premier ordre ou accomplissent le deuxième et oublient le premier.

### Vérification des déficits

Lors de cette première entrevue, je vérifie aussi si l'enfant présente la majorité des déficits (voir tableaux en annexe) en fonction de son âge.

## — Déficits corporels

• Motricité

Le sujet présente de l'incoordination, une motricité grossière et une motricité fine déficiente. Il échappe facilement les objets, surtout par indifférence ou distraction.

• Hypotonie

L'enfant de profil *auditif* présente une hypotonie profonde proportionnelle à son déficit ; on peut lui secouer la main comme un chiffon. Il a de la difficulté à lever des objets lourds. De par sa pensée circulaire, l'auditif brûle son énergie.

• Hypertonie

L'enfant de profil *visuel*, quant à lui, démontre une très grande hypertonie. On a l'impression, en lui secouant la main, de secouer un bout de bois. De par sa pensée linéaire, il décuple son énergie.

• Parole

Il est non volubile ; et lorsqu'il parle, il présente des troubles de prononciation, il a la bouche molle et une voix plutôt saccadée de type robotique : le tout est dû à un apprentissage par répétitions sans imagination.

• Blessures

Il se blesse facilement. L'enfant de profil *auditif* se blesse moins, car il bouge moins ; il se montre plus répétitif et plus habile dans ses mouvements que l'enfant de profil *visuel*.

• Douleur

Le sujet ne peut localiser la douleur sur son corps, sinon de façon très frustre. Les parents le disent dur à la douleur, car ils l'entendent rarement pleurer malgré ses bleus multiples. S'il se blesse gravement, il crie sur le coup et

peut hurler, comme ce garçon de quatorze ans l'avait fait :
ses parents se précipitèrent près de lui et il cessa de hurler ;
ils le déshabillèrent complètement et ne trouvèrent rien. Deux
jours plus tard, ils se rendirent compte que leur enfant s'était
arraché l'ongle du pouce. Ils se rendirent à l'hôpital où,
injustement, ils se firent vertement critiquer pour leur
« négligence ».

• Fatigue

Il ne manifeste jamais de fatigue, même si on le sent
très las. De fait, il combat sa fatigue pour se tenir en éveil,
pour être près de la personne aimée ou de la personne responsable. La lassitude se manifeste malgré l'hyperactivité de
l'enfant et le déni de son état. Il accepte donc très mal de
se coucher seul et l'on doit le recoucher à maintes reprises.

• Agitation

Il est grimpeur, agité, perpétuellement en mouvement,
surtout avant l'adolescence. Il se lève continuellement de
table ; il ne peut intégrer ou canaliser les différentes informations reçues par ses cinq sens.

• Propreté

Il n'a pas de notion de propreté, puisqu'il est lui-même
inconscient de son propre corps.

• Notion d'espace

Ce type d'enfant ne possède pas de notion d'espace.
On ne le laisse pas s'éloigner seul car il peut se perdre. Il
ne peut suivre les lignes d'un dessin car il ne se situe pas
lui-même dans l'espace.

• Notion de temps

Comme il n'a pas intégré la notion de temps, il souffre
d'insomnie, mange et boit à tout moment, sans choisir ses
aliments ou ses boissons. Il peut aussi bien oublier de manger
ou manger tout le temps.

• Communication par le toucher

Il communique habituellement par le toucher. Il perpétue ainsi son moyen préférentiel de communication intra-utéro avec sa mère alors qu'il bougeait. Il touche parfois de façon répétitive, tel un automate, sans même s'en rendre compte. Cette attitude disparaît longtemps après le début du traitement.

• Regard fuyant

Il a le regard fuyant, surtout vis-à-vis de sa mère ou de la personne responsable mais beaucoup moins avec les enfants ou les personnes qui ont communiqué avec lui intra-utéro. La cause de ce regard fuyant est l'ordre général de non-communication qu'il a reçu intra-utéro ; cela peut venir aussi de son incapacité à pouvoir supporter la charge émotive trop forte des dicktats positifs ou négatifs intra-utéro.

• Rire

Il ricane plutôt, avec un rictus au coin des lèvres ; il rit nerveusement : ce n'est pas un rire complet venant du fond du cœur.

• Balancement du corps

Dans certains cas, l'enfant manifeste un balancement du corps. Les causes habituelles en sont les peurs de la mère ou le bruit excessif du lieu de travail de la mère durant sa grossesse.

— **Déficits affectifs**

• Peurs

Ses peurs ne semblent pas avoir de raison apparente, car l'information lui parvient par tous les sens, sans être intégrée. Il est victime de cauchemars qu'il peut raconter plus tard au cours du traitement : il se fait attaquer surtout par des araignées ou des « bibites » qui lui enlèvent parfois des morceaux de peau.

- Agressivité

Il peut se montrer violent ou présenter des réactions anormales : lancer des objets, tirer les cheveux, mordre, hurler si on le regarde, etc.

- Mauvaise humeur

Il n'est jamais content. En général, l'enfant de profil *visuel* rouspète et l'enfant de profil *auditif* grogne. Si l'on observe bien l'enfant, on constate qu'il manifeste ainsi son opposition au moindre changement apporté à un rituel appris par cœur.

## — Déficits intellectuels

- Confusion mentale

Il manifeste une grande confusion mentale parce que son inaptitude à la concentration l'empêche de trier les informations transmises en vrac par ses sens à son cerveau. Après quelques mois de traitement, il se dit « moins mêlé dans sa tête ».

- Langage non structuré

Son langage n'est ni structuré, ni logique. Et il est bien souvent sans rapport avec la réalité car le sujet ne peut se concentrer sur une idée unique et son développement.

- Passivité mentale

Il présente une passivité mentale excessive et ne retient que ce qu'on lui apprend à force de répétitions.

## — Déficits sociocorporels

- Sports de groupe

Il refuse les sports de groupe. Il ne peut s'adapter et interpréter leurs lois mouvantes qui lui apparaissent souvent contradictoires car il se situe à un âge de développement inférieur à cette compréhension.

- À l'école

  Parfois, il présente des réactions anormales : il se bat, se lève, se couche par terre, parle, saute, joue à l'effronté, etc.

- À la maison

  Si un enfant ou un étranger s'approche de la mère, il en fait autant. Le *visuel* peut aller jusqu'à griffer et s'interposer. L'enfant craint, à ce moment, d'être délogé ou remplacé comme « membre » de sa mère.

- Ailleurs

  Il se retire ou s'agite. En général, l'*auditif* se retire et le *visuel* s'agite.

- Agressivité physique

  Il manifeste parfois de l'agressivité physique envers la mère, le père ou les amis en réaction à un ordre, un cri, une réprimande ou trop d'insistance.

- Notion de propriété

  Il n'a aucune notion de propriété car il est lui-même un objet parmi les autres. On peut donc lui enlever ses jouets sans qu'il ne dise mot, sans qu'il se rebiffe. L'*auditif,* par ailleurs, à cause de son maniérisme, semble posséder un peu plus le sens de ce qui lui appartient.

## — Déficits socio-affectifs

- Odeurs corporelles

  Il dégage habituellement des odeurs repoussantes venant de son corps, de son haleine ou de ses cheveux. Ces odeurs sont la manifestation d'un déficit de communication entre l'enfant et la personne qui doit l'aimer. On peut constater ce fait chez les enfants normaux en cas de conflit entre eux et les personnes qui doivent les aimer.

• Carapace émotionnelle

Il est incapable de dire ses émotions et de manifester ses sentiments à cause de l'ordre de non-communication reçu intra-utéro. Il ne démontre aucune prévenance envers autrui. On dit de lui qu'il veut du « service » mais ne veut pas en donner. Il ne fait montre d'aucune compassion : il ricane devant la douleur des autres ; ni d'aucune empathie : il refuse d'aider ou de participer ; ni d'aucune recherche du pardon : il ne se colle pas sur sa mère ou ne tente pas d'être gentil par la suite. Il n'accepte ni ne rend aucune taquinerie ; il lui est impossible d'accepter une erreur ou une réprimande.

• Amour pour la mère

Il dit ne pas aimer sa mère. L'*auditif* dit plutôt « pas gentille maman ». Avant l'âge de deux ans, il refuse de sourire à sa mère mais sourit aux autres : l'enfant signifie ainsi à sa mère qu'elle a porté atteinte à sa liberté.

• Mutisme

Pour la même raison, il refuse de parler aux enfants, aux voisins et surtout à sa mère.

• Peurs

Il souffre de plusieurs types de peurs : peur de sa mère si celle-ci s'est sentie frustrée pendant sa grossesse ; peur de son père si celui-ci est agressif ou violent de nature ; peur des enfants si la mère est craintive ou si elle a été battue pendant sa grossesse ; peur des adultes si le père ne communiquait pas avec le bébé intra-utéro. Il n'a pas peur des enfants ou des adultes si d'autres enfants (frères ou sœurs) ou son père communiquaient avec lui intra-utéro.

• Agressivité verbale

Il est verbalement agressif envers sa mère : il manifeste ainsi le désir de la voir modifier son attitude envers lui ;

envers son père : il lui signifie probablement ainsi que sa mère a porté atteinte à sa liberté intra-utéro ; envers les étrangers : à cause du message d'agressivité transmis intra-utéro. Par contre, il se montre doux envers les enfants de moins de sept ans et recherche leur compagnie car ils sont plus tolérants, plus à son niveau.

• Au coucher

Il exige la présence de sa mère au coucher car il accepte mal de se détacher d'elle.

• Rêves

Il ne peut raconter ses rêves.

• À l'école

Il n'aime pas l'école car il s'y sent perdu : pour lui, il y a trop d'intervenants et trop d'ordres apparemment contradictoires.

— **Déficits socio-intellectuels :**

• Lors d'activités scolaires de groupe

L'enfant refuse de participer aux activités scolaires collectives à cause de son incapacité d'intégration. Il s'y sent perdu car les informations affluent de toutes parts et lui semble disparates.

• Face à un ordre

Face à un ordre, l'enfant gravement atteint, tourne sur lui-même ; il court probablement après le message circulant dans son cerveau.

• Questions

Il peut poser vingt questions sans écouter ni attendre les réponses ; son cerveau reçoit les informations séparément par tous les sens, sans pouvoir les analyser simultanément ; son cerveau se pose toutes les questions en même temps. Il n'associe pas l'objet qu'il voit ou qu'il touche au bruit que fait l'objet.

• Face à une tâche difficile

Il ne cherche pas d'aide auprès de l'adulte s'il ne peut accomplir ou comprendre une tâche ; il abandonne.

• Echolalie

Il souffre d'écholalie et répète tout ce qui se dit comme un perroquet. C'est sa façon d'apprendre. Il me semble que cette méthode d'apprentissage s'apparente beaucoup plus à une forme de dressage qu'à une forme d'éducation, sauf en ce qui concerne le nouveau-né normal. L'enfant, d'ailleurs, face à un tel dressage, se rebelle en disant à sa mère : « tu répètes toujours la même chose ».

• Refus d'échanger des idées

Il refuse d'échanger des idées car il n'en a pas.

• Absence de mensonge, de fabulation, d'humour

Il ne sait pas mentir, fabuler ou faire de l'humour à travers ses dessins, ses histoires ou ses commentaires.

## — Déficits affectant simultanément les trois niveaux

• Absence de concentration

Le plus grand déficit de cet enfant s'avère être son incapacité d'attention ou de concentration. Il n'est attiré que par les messages publicitaires ou les émissions pour enfants bruyantes car il ne communiquait intra-utéro qu'avec les bruits, et non avec sa mère. La trame d'une histoire le laisse froid, ne l'intéresse pas. Il n'a pas la patience suffisante pour être attentif. Il est lunatique.

• Absence de curiosité

Il ne s'intéresse pas à la fonction des choses ou aux actes des autres en demandant « pourquoi ? » et « comment ? ».

• Absence d'autonomie

Parce qu'il n'a pas reçu la permission de se détacher de sa mère au moment de la grossesse, il ne manifeste pas de désir ni d'autonomie ; de confiance en lui ni d'initiative ; de capacité de s'organiser seul ni de désir d'imitation (qui doit venir de l'intérieur et non par dressage) ; de sens critique du vrai, du faux ou du danger ni de pouvoir d'analyse situationnelle ; d'imagination ni d'esprit créatif ; de capacité de terminer une tâche ni de possibilité d'utiliser sa mémoire de façon adéquate.

• Insécurité

Il souffre d'une très grande insécurité, il est explosif et imprévisible parce qu'il suit les pulsions de ses sens. C'est donc à la centrale d'analyse (la mère ou l'adulte responsable) qu'il appartient de le contrôler. La mère a vraiment l'impression d'accomplir du dressage car l'enfant n'a aucun pouvoir d'analyse. S'il désire faire les choses à sa manière, c'est que le moindre changement l'insécurise. Il dit toujours « attend une minute » selon l'exemple de sa mère.

• Face aux ordres

L'enfant de profil *visuel* réagit aux ordres avec passivité ou agressivité selon les messages reçus et l'état affectif de sa mère lors de la grossesse. L'enfant de profil *auditif* répond par l'agressivité si on persiste à lui donner un ordre, ou bien il se retire. La mère fait du dressage, l'enfant réagit de façon animale.

• Ses compagnons de jeu

Il joue avec des enfants plus jeunes à cause de son manque d'autonomie et parce qu'un adulte a toujours l'œil sur eux.

• Absence de fierté

Il ne manifeste ni fierté ni orgueil : on peut impunément l'habiller comme on veut et lui dire la pire insulte sans l'offenser.

• Absence de chantage

Il ne sait pas utiliser le chantage qui s'avère pourtant une forme très frustre d'apprentissage par les opposés.

• Absence d'amitié

Il ne recherche pas l'amitié parce qu'il ne sait pas ce que c'est.

• Tentatives de communication avec la mère

Sous diverses formes, il demande à sa mère de lui parler : « parle-moi ! », « je veux que tu me parles ! ». Notons que de nombreux sujets brisent les objets personnels de leur mère alors qu'ils respectent les leurs et ceux des autres.

Enfin, son regard fuyant, ses odeurs, etc. témoignent d'un rejet ou, à tout le moins, d'un trouble de communication. Mais l'enfant souhaite que le message transmis intra-utéro disparaisse.

• Notions de temps et d'espace confuses

Il n'assimile pas les notions de temps et d'espace ou très peu, car il agit encore comme s'il était dans le sein de sa mère (là où le temps et l'espace n'existent pas). Il s'embrouille souvent dans la notion des repas (dîner, souper), des jours de la semaine, des mois, des heures, du temps qu'il faut pour accomplir une tâche, de la durée de l'absence des êtres aimés. Il se situe mal dans ses espaces corporel, affectif, intellectuel et social, et ne mémorise que ceux qu'il a appris par cœur. On ne peut lui faire confiance dans un endroit inconnu ni lui expliquer un nouveau trajet ; il n'a pas la notion des distances ; il néglige sa personne ; il fait confiance à n'importe quel adulte responsable.

— **Déficits objectaux divers**

• Sons

Il se calme en entendant certains bruits spécifiques : moteurs d'auto, aspirateurs, bruits d'eau, musique, machine à écrire, etc. Comme il ne peut communiquer avec la mère intra-utéro, sa relation avec ces bruits constitue parfois sa seule forme de communication. Pour la même raison, il ne manifeste d'intérêt que pour les messages publicitaires télévisés.

• Identification aux objets

Il peut parler aux objets, puisqu'il s'identifie à eux et non aux personnes.

• Absence d'ordre

Il n'a aucun sens de l'ordre, puisqu'il n'a aucune notion spatiale corporelle. Par contre, l'enfant de profil *auditif* atteint d'un déficit profond fait preuve d'un maniérisme et d'un sens de l'ordre obsessionnel pour certaines choses, ceci à cause de sa pensée circulaire. Avant de s'endormir, il place dans son lit ses objets préférés toujours exactement dans la même position, soir après soir.

• Jouets

Il ne sait pas utiliser les jouets et s'y intéresse peu car il n'a pas reçu le droit d'imaginer.

• Maniérisme de l'enfant de profil *auditif*.

Chez l'enfant de profil *auditif*, on retrouve un maniérisme obsessionnel, de préférence à l'égard de petits objets, d'insectes sur lesquels il peut fixer son attention durant des heures.

• Désir sans persistance

Il désire tout, sans trop savoir ce qu'il veut ; on peut le faire changer d'idée, l'habiller comme on veut, lui donner les cadeaux que l'on veut, etc.

• Dessins

En dessinant, il utilise habituellement une couleur unique. Il peut produire des dessins assez complexes, mais sans imagination ; il ne représente que ce qu'on lui a appris.

## — Observations sur la période intra-utéro

• Douleurs causées à la mère

Habituellement, le bébé cause des douleurs à sa mère, dans certains cas assez fortes pour qu'elle en pleure. Il force ainsi sa mère à le toucher, donc à communiquer avec lui.

• Agitation du jour ou agitation du soir ?

Il bouge beaucoup selon son profil : le *visuel* bouge le jour, de préférence, et l'*auditif* le soir.

• Lors du bain de la mère

Toutes les occasions sont bonnes pour attirer l'attention de la mère en bougeant. La période du bain est la période qu'il préfère pour communiquer car la mère est alors plus détendue et vraiment seule avec lui.

• En cas de danger

S'il se sent menacé ou sent sa mère en difficulté, il se fait oublier en ne bougeant pas, ou à peine.

• Communication établie par le père

Le père, parfois, touche le bébé et lui parle. C'est surtout le père de profil *visuel* qui établit cette communication. Pour le bébé, le père représente le monde extérieur. Plus tard, l'enfant ne craindra pas les étrangers si le père a bien communiqué avec lui. La mère, instinctivement, s'arrange pour que le père touche le bébé, surtout s'il en a peur, s'il n'en veut pas ou s'il le perçoit comme un rival : la mère tente ainsi de lui faire accepter son enfant.

• Communication avec les enfants

Spontanément, les aînés sont portés à parler au bébé intra-utéro et à le toucher : c'est parfois la seule communication verbale intra-utéro que le bébé reçoit. C'est pour cette raison que le bébé devenu enfant communique facilement avec les aînés et peut les regarder dans les yeux.

• Compensation du déficit

Le père, les aînés et même les étrangers, en communiquant avec le bébé, compensent en partie le déficit de communication intra-utéro induit par la mère.

• Alimentation de la mère

La mère peut souffrir d'une certaine boulimie « normale ». Il semble également tout à fait normal qu'elle boive beaucoup car elle se doit d'éliminer les déchets de deux personnes.

Elle peut avoir envie de manger davantage sans pour autant se le permettre : ceci peut occasionner ultérieurement une obésité chez son enfant. La peur obsessionnelle de s'enlaidir, de déformer son corps ou de perdre sa ligne peut, à l'opposé, provoquer ultérieurement chez l'enfant une anorexie mentale. Durant sa grossesse, la mère ne doit pas impliquer inconsciemment le bébé dans ses désirs, ses refus ou ses privations, elle doit lui laisser consciemment sa liberté.

• Mère agitée

Si la mère est agitée, si elle fait des cauchemars où son enfant invente des coups pendables, c'est qu'elle pressent et qu'elle intègre l'agitation future de son enfant. (Cette agitation de la mère et son inquiétude persistent et ne cessent que lors du traitement lorsque les symptômes de l'enfant se sont atténués.)

• Lassitude de la mère

La lassitude se produit surtout chez la mère qui travaille beaucoup ou chez la mère atteinte de dépression.

• États dépressifs de la mère

L'enfant accuse un état dépressif selon les mois où la mère enceinte est déprimée.

Si la mère souffre d'un état dépressif soutenu et prolongé, l'enfant est toujours déprimé.

Si le bébé et la mère ont des profils identiques, la dépression est plus fréquente que s'ils sont de profils complémentaires car, dans ce cas, la mère redevient « adolescente ».

À l'occasion de deux grossesses où elle porte un enfant de profil identique au sien, la mère peut revivre avec l'un la partie malheureuse de son adolescence (si tel était le cas), et cet enfant souffrira de dépression, et revivre avec l'autre la partie heureuse de son adolescence, et son enfant sera toujours épanoui, sans penchant pour la dépression. La dépression est plus fréquente chez la mère de profil *auditif* parce qu'une dévalorisation la marque pour plus longtemps.

• Accouchement retardé

Beaucoup de ces enfants naissent après terme. La mère retarde l'accouchement à cause d'un sentiment de culpabilité plus ou moins conscient et très souvent indéfinissable. La mère peut avoir peur qu'il soit malade ou infirme, peur d'avoir plus ou moins bien agi envers lui, peur de ne pas être vraiment prête. Certaines mères sentent le besoin de parler plus aux bébés suivants ; d'autres, au contraire, transmettent au bébé suivant le message inverse de celui qu'elles ont donné au premier. Elles agissent ainsi en réaction au diktat qu'elles ont transmis à l'enfant précédent lors de leur grossesse.

• Accouchement prématuré

Dans un cas précis d'accouchement prématuré, la mère a avoué qu'elle avait hâté l'accouchement pour que son enfant ne naisse pas sous le même signe du zodiaque que son mari violent et infantile !

## À la deuxième visite, un mois plus tard

Dès la deuxième visite, si les déficits de l'enfant ne sont pas trop profonds, les parents confirment qu'ils ont observé les changements prévus. Souvent, ils se montrent un peu découragés devant les réactions négatives de l'enfant : ils ont déjà oublié ses acquis et c'est bien normal. (Qui d'entre nous, après avoir attendu pendant des années un objet convoité, ne le considère pas comme s'il faisait partie des meubles dès le lendemain de son acquisition ?) On note déjà chez l'enfant des signes très nets de récupération.

Dans la première quinzaine qui suit la première visite, l'enfant vit sa phase de zéro à neuf mois d'âge mental et se montre « tout amour » pour sa mère. Par la suite, il entre dans sa phase de neuf à trente mois, et alterne du positif au négatif en se montrant parfois sadique.

Le temps qu'il met pour traverser ces deux phases est directement proportionnel à la gravité du déficit de l'enfant.

## — Le niveau corporel

• Douleur

Dès le premier mois, l'enfant acquiert les notions de douleur et de fatigue. La moindre petite écorchure devient un drame ! Il la localise et insiste pour qu'on le soigne. Il se dit fatigué et va se coucher de lui-même.

• Agitation

Il est plus calme et peut rester en place plus longtemps.

• Espace

Il commence à s'éloigner de sa mère et à explorer systématiquement son environnement.

• Temps

Il n'a plus d'insomnies. Il accepte mieux de manger au moment des repas. Il accepte plus facilement la routine de la maison.

N.B. Les notions d'espace-temps s'élaborent selon les phases du développement de l'enfant.

• Regard fuyant et rire

Souvent, dès les premiers jours, il peut regarder sa mère et les autres droit dans les yeux. Son rire est déjà plus agréable.

### — Le niveau affectif

• Agressivité

L'agressivité physique disparaît d'abord, l'agressivité verbale ensuite.

• Mauvaise humeur

Il ne rouspète plus, ne grogne plus.

• Peurs

Il est moins craintif et ne souffre plus de peurs irraisonnées.

### — Le niveau intellectuel

• Confusion mentale

Ses idées commencent à s'éclaircir, il sait déjà ce qu'il veut... surtout au moment des repas : on ne peut plus lui faire avaler n'importe quoi. Il n'est plus « passif ».

### — Le niveau socio-corporel

• À l'école

Il est plus calme, il participe plus et prend davantage plaisir à s'y rendre.

• À la maison

Il commence à accepter que d'autres enfants ou que des étrangers parlent ou s'approchent de sa mère : il ne s'interpose plus, ne se retire plus. S'il veut parler à sa mère il l'approche puis retourne à ses activités.

• Ailleurs

Il est plus calme.

## — Le niveau socio-affectif

• Notion de propriété

L'enfant de profil *auditif* se départit de son maniérisme.
Il reconnaît déjà la notion de propriété.

• Odeurs corporelles

Elles ont disparu.

• Émotions et sentiments

Il peut maintenant exprimer oralement ses émotions.
Il se dit content, il est plein de petites attentions pour sa
mère, il est prévenant, coopératif. Il tente de se faire pardonner ses maladresses. Il accepte la réprimande et reconnaît
ses erreurs. Il dit qu'il aime sa mère. Son mutisme envers
elle a disparu et il n'arrête pas de parler.

• Au coucher

Il ne se relève plus dix fois : il accepte de se coucher
dès que sa mère l'a embrassé.

## — Le niveau socio-intellectuel

• Questions

Au lieu de poser vingt questions sans attendre de
réponse, il n'en pose plus qu'une et insiste pour obtenir une
réponse satisfaisante.

• Face à une tâche difficile

Il essaie d'abord seul puis, en cas d'échec, il demande
des explications à un adulte responsable ou lui demande de
l'aider.

• Echolalie

Son écholalie a cessé. Il peut aussi la modifier : il inverse les mots de la phrase pour montrer qu'il a bien compris.

• Échange d'idées

Il n'y a plus moyen de le faire taire, et il donne son idée sur tout.

## — L'interaction des trois niveaux

• Concentration

Il peut maintenant se concentrer sur une activité précise qui dure plus longtemps : regarder une émission télévisée au lieu de se contenter des messages publicitaires. Il recherche déjà la manière d'utiliser ses jouets. Il peut accomplir une tâche sans rien perdre de ce qui se passe autour de lui. Il n'est plus lunatique.

• Face aux ordres

Il ne rouspète plus ; son agressivité ou sa passivité ont diminué. Il peut envisager une nouvelle façon d'exécuter un ordre.

## Aux visites suivantes

• Hypertonie et Hypotonie

L'hypertonie de l'enfant de profil *visuel* et l'hypotonie de l'enfant de profil *auditif* évoluent progressivement vers une tonicité normale.

• Agitation

Elle diminue de façon progressive.

• Propreté

Elle se manifeste au moment où elle apparaît habituellement dans le développement de l'enfant normal.

- Communication par le toucher et l'odorat

Ce type de communication est parfois lent à disparaître chez les sujets profondément atteints. Le langage structuré se développe assez rapidement.

- À l'école

Très vite, au grand étonnement des élèves et du professeur, l'enfant se met à participer de lui-même : il balaie, efface le tableau. Il fait des remarques pertinentes au bon moment.

- Rêves

Il raconte ses rêves.

- Mensonges, fabulations, humour

Assez rapidement, il taquine les autres et raconte des mensonges.

- Curiosité

Il demande « pourquoi » et « comment ». Il cherche à imiter de lui-même les gestes et les actes des autres. Il est moins angoissé face à la nouveauté.

- Fierté

L'orgueil apparaît très rapidement : il n'accepte plus de porter n'importe quel vêtement, de n'importe quelle couleur.

- Amitié

Il la recherche très vite.

- Notions d'espace et de temps

Elles se développent selon le cours normal de son apprentissage

- État dépresso-symbiotique de la mère

Habituellement, dès le deuxième mois, la mère se sent libérée, elle sait que son enfant s'en sortira. Elle se rend compte que son enfant, de jour en jour, devient plus autonome ; elle peut lui faire davantage confiance car il montre plus d'initiative, plus d'imagination, plus de pouvoir d'analyse situationnelle, une meilleure notion du danger, etc.

## Conclusion

Les parents et le thérapeute doivent bien comprendre, et ne pas oublier, que l'enfant fait ses acquisitions selon la phase de développement mental où il se situe et non selon son âge chronologique. Il ne faut pas le bousculer mais respecter son rythme, et s'assurer qu'on lui fournit les outils nécessaires à son développement. Tout vient en temps et lieu !

L'enfant de dix ans, vingt ans ou plus qui traverse sa phase sadique, sa phase de deux ans et demi à sept ans avec ses réparties vives ou son complexe d'œdipe, peut mettre ses parents mal à l'aise en présence d'autres personnes. Mais les parents doivent uniquement se préoccuper de répondre aux besoins présents de leur enfant selon son âge mental, ainsi que l'explique le chapitre sur le développement de l'enfant, et non selon les « qu'en dira-t-on ».

De toute façon, au bout de quelques mois, ces témoins inopinés du traitement sont en général fort étonnés du succès de cette approche, de l'impressionnante évolution de l'enfant. Ils sont prêts à féliciter les parents.

Les parents et le thérapeute doivent expliquer aux professeurs et aux autres adultes responsables de l'enfant tous les comportements actuels et futurs que celui-ci peut manifester. Ainsi, tous les intervenants coopèrent sans entraver le développement de l'enfant.

Devant le moindre « appel au secours » de l'enfant, il ne faut pas hésiter à en chercher la cause pour l'extirper rapidement. Ceci évite un retard dans son développement ou même des problèmes à long terme.

Enfin, il est important de se rappeler que l'enfant « renaît » à chaque phase de son développement : il répète alors ses divers « cris d'appels ». Par la suite, il acquiert de phase en phase un état supérieur de conscience qui lui permet d'affiner l'organisation de son intellect, de ses affects et de son corps.

Voici l'histoire de quatre enfants de moins de neuf mois.

## DEUXIÈME PARTIE

### Histoire de Marcel, né le 24 janvier 1985

**Première visite : le 8 octobre 1985, Marcel a huit mois et demi**

La mère vient me voir parce que Marcel, depuis sa naissance, s'éveille jusqu'à dix fois par nuit en pleurant. Le jour, il crie beaucoup et ne se trouve bien que dans les bras de sa mère.

La mère se montre d'autant plus inquiète que Marcel est né de grossesse gémellaire et que sa sœur se développe beaucoup plus rapidement que lui. Il ne prononce pas un mot et ne gazouille pas alors que sa sœur dit déjà : « papa », « maman », « à terre » et jargonne. Marcel ne grimpe pas alors que sa sœur grimpe partout plus vite que lui. Il s'asseoit seul depuis une semaine alors que sa sœur sait le faire depuis un mois et demi. Il se révèle beaucoup plus hypotonique que sa sœur. Depuis une semaine, la jumelle appelle sa mère d'une autre pièce. La mère ne se sent absolument pas inquiète pour sa fille car elle la trouve très autonome par rapport à son fils.

Elle m'avoue qu'après la naissance des deux jumeaux, elle a remarqué qu'elle s'occupait davantage de la petite et qu'elle avait tendance à négliger Marcel qui pleurait continuellement.

La mère se sent d'ailleurs prisonnière du manque d'autonomie de son fils. Elle ne voit pas le jour où elle s'en sortira. Elle s'inquiète toujours pour lui, cela l'empêche de dormir et de se reposer : elle se sent épuisée et ne sait que faire. Elle craint qu'une menace de destruction ne plane sur son couple car Marcel draine son énergie. Elle se trouve coupable sans pouvoir identifier la cause de ce sentiment. Elle n'a qu'une envie : fuir.

La mère mentionne que Marcel semble se venger si le père le garde durant l'absence maternelle ; il pleure et s'éveille plus souvent la nuit, en hurlant. Marcel fuit le regard de sa mère et évite un peu moins celui des autres. Il refuse de dormir ou de manger et pleure continuellement si ce n'est pas sa mère qui le garde.

Je lui explique alors que tous les symptômes dont elle et son fils sont atteints sont la manifestation d'un état dépresso-symbiotique entre elle et son fils depuis la naissance ; que cet état est consécutif à un déficit de communication qui s'est établi entre elle et lui durant la grossesse ; que ce déficit se perpétue et qu'il faut absolument rétablir la communication si l'on veut que leur relation redevienne normale.

Avec l'aide de la mère, je tente d'identifier les déficits qui auraient pu s'établir entre elle et l'enfant durant la grossesse, et comment il se fait que la sœur jumelle n'en ait pas souffert également.

Je vérifie d'abord tous les profils des membres de la famille : le père est de profil *auditif,* la mère de profil *visuel,* la grande sœur de sept ans et demi de profil *visuel ;* Marcel, le premier des jumeaux à voir le jour, est de profil *auditif* et sa jumelle de profil *visuel.* Le tout me permet d'avancer l'hypothèse suivante : comme la jumelle fonctionne normalement et semble n'avoir subi aucun déficit alors que Marcel a subi un déficit profond, j'explique à la mère que la communication était probablement normale le jour mais qu'elle devait être très déficiente le soir, ce qu'elle me confirme. Elle n'a travaillé à l'extérieur que les deux ou trois semaines du début de sa grossesse. Par la suite, elle est restée à la maison et s'est occupée des tâches journalières. Le jour, il semble qu'elle commmuniquait bien avec les enfants qu'elle portait, elle y pensait souvent. Par contre, après le souper, les devoirs et le bain de l'aînée, vers 20h30, elle se réservait les trois dernières heures de la soirée. Elle tricotait ou s'adonnait à ses passe-temps et n'acceptait pas que ses bébés la dérange : elle s'en était tellement occupée dans la journée. Comme Marcel bougeait le soir et surtout la nuit, sa mère lui ordonnait de rester tranquille et de bien faire ses nuits, cela même après la naissance.

De plus elle s'ennuyait beaucoup de ses collègues de travail : d'ailleurs, les deux enfants sucent leur pouce.

J'explique alors à la mère comment rétablir la communication avec Marcel et lui demande de revenir dans deux semaines. Avant son départ, je lui demande si les enfants qu'elle portait lui causaient des douleurs abdominales, et à quels moments ces douleurs apparaissaient ; elle m'explique que ces douleurs n'apparaissaient que le soir lorsqu'elle se détendait ou la nuit lorsqu'elle changeait de position. De fait, les douleurs n'étaient causées que par Marcel car l'enfant de profil *auditif* ne communique que le soir, lorsque la mère est au repos.

### Deuxième visite : le 22 octobre 1985

La mère entre toute souriante dans mon bureau et me dit sans ambages que Marcel est maintenant un bébé merveilleux. Marcel n'a plus le regard fuyant, il peut regarder sa mère droit dans les yeux pendant de très longues périodes. Auparavant, il était agressif envers sa mère et sa jumelle, il les pinçait et les mordait. Maintenant, il est doux envers elles, comme il l'était déjà envers sa sœur de sept ans et demi. Il sourit à sa mère et à sa sœur jumelle. Il embrasse spontanément sa mère au lieu de se refuser et de se détourner. Auparavant, il ricanait et un rictus se dessinait aux coins de ses lèvres, mais le reste du visage (les yeux, les joues) ne souriait pas. Il rit désormais de bon cœur et jacasse depuis quatre jours comme sa sœur, mais sans prononcer de véritables mots. Il ne s'est réveillé que six fois la première nuit après notre rencontre ; il s'est réveillé de moins en moins souvent la nuit et, depuis deux jours, il fait des nuits complètes.

### — Le niveau corporel

Il commence à grimper : il monte sur la première marche de l'escalier et s'arrête là en regardant sa mère ; il semble alors manifester de la prudence. Autrefois, au lieu de grimper, il faisait, comme dit sa mère, du « sitting ».

Son cri est plus fort, plus clair et moins agressif. Il articule mieux son gazouillis en espaçant ce qui semble être des mots.

Il n'échappe plus les objets : il cherche à prendre son verre de lait à deux mains et le tient très bien. Son tonus a augmenté ; il se tient bien droit et va droit au but.

Sa désagréable odeur corporelle a complètement disparu.

Il manifeste maintenant le sens de la propriété et il n'accepte plus que sa sœur jumelle touche à ses jouets ou à ses vêtements ; il lance les jouets de sa sœur loin de lui. Il possède donc aussi le sens de la propriété des biens d'autrui.

Il connaît son appétit et ferme vigoureusement la bouche quand il a assez mangé. Il sait ce qu'il veut manger : il fait la moue et rejette ses céréales alors qu'il mange avec plaisir ses rôties.

Il n'exige plus la présence de sa mère au moment du coucher.

## — Le niveau affectif

Il ne crie plus jour et nuit pour obtenir la perpétuelle présence de sa mère.

Il est devenu très sensible à la douleur : il pleure s'il se cogne ou si sa sœur le tire par les cheveux ; auparavant, il la laissait faire sans réagir.

Il ressent maintenant la fatigue et l'exprime en bâillant, en se frottant le visage, en jouant avec ses oreilles ou en rechignant.

Enfin, il est débarrassé de ses peurs.

## — Le niveau intellectuel

Il joue maintenant avec les objets et sait comment utiliser un jouet.

Il fait preuve d'un certain sens de l'imitation et révèle une belle écholalie chantante alors que la précédente était d'une tonalité tout à fait ennuyante pour ne pas dire exaspérante !

Il n'est plus lunatique ni rouspéteur.

## — Le niveau socio-corporel

Il ne se balance plus.

Il ne lance plus les objets partout comme il le faisait avant.

Son agressivité verbale envers sa mère a totalement disparu ; il n'a d'ailleurs plus peur de sa mère, et ne se retire plus dans un coin ou dans sa chambre à la vue d'étrangers ; au contraire, il reste près d'eux et leur dit des gentillesses.

Il a cessé de parler aux bruits et parle plutôt aux objets.

Le sens du pardon lui est devenu familier : si sa mère le réprimande, il se colle sur elle en lui serrant la jambe ou le cou avec des « ah ! ah ! » et un sourire complice.

Il est devenu volubile, patient et taquin.

Quand on le félicite, il se redresse comme un coq.

Il a une bonne notion de l'espace : il étend son champ d'exploration et sa mère doit aller voir ce qu'il fait, surtout si elle craint un danger alors qu'il restait autrefois pratiquement collé à ses jupes. Il est beaucoup plus autonome : il fait ses tours de reconnaissance partout dans la maison comme si c'était des rondes à heures fixes. Ailleurs, il part à l'aventure au lieu de rester collé près de sa mère.

Il a perdu son rituel de toujours placer son biberon et sa tétine d'une façon très précise dans son lit.

Les changements de couches sont devenus un plaisir pour lui alors qu'il donnait des coups de pied, se tordait, poussait et ne voulait pas qu'on le dérange.

De plus, il cherche à s'impliquer dans les jeux en passant par-dessus sa mère ou les autres, ou en passant par-dessous.

### — Le niveau socio-intellectuel

Il essaie d'abord de déjouer les ordres de sa mère, puis, devant son insistance, il obéit. Autrefois, lorsque sa mère le réprimandait, il s'obstinait ou pleurait ; maintenant, il la regarde, l'écoute et fait de grands sourires pour tenter de la séduire.

Sa mère peut prévoir pratiquement toutes ses réactions car il manifeste ses émotions et ses désirs. La mère semble heureuse de me dire qu'il a l'air peiné et compatissant si elle fait mine de pleurer.

### — L'utilisation simultanée des trois niveaux dans la communication

Marcel manifeste plus d'initiative ; il participe à toutes les activités et se concentre plus facilement ; il joue, explore plus longtemps. Autrefois indifférent à son entourage, il insiste auprès de sa mère pour qu'elle lui réponde, en tirant sur sa jupe.

Sa capacité d'analyse situationnelle s'est grandement améliorée. Il se tient loin de la cuisinière, par exemple.

Il échange des idées avec son père et sa mère en jargonnant avec eux.

Il s'intéresse aux fonctions des jouets et aux gestes de sa mère.

Il peut accomplir des tâches complètes rudimentaires (placer une cuillère dans un pot). Il s'essaie seul à une tâche et demande l'aide de sa mère s'il ne peut en venir à bout (ramasser un objet tombé de sa marchette).

Il fait actuellement preuve d'imagination en se déplaçant autour de son parc tout en essayant ses nouveaux jouets. La mère me raconte tout ce qu'il peut faire avec une cuillère : il la secoue de différentes manières, se met le nez dedans, l'écoute, la mord, la regarde, essaie de la placer debout, s'asseoit dessus ; en fait il recherche son utilité.

Marcel explore la notion de jeu : il taquine sa mère en l'attrapant par sa chemise de nuit. À l'heure du bain, c'est la folie furieuse entre les deux jumeaux : ils rient tous les deux aux éclats. Il fait des « coucou » à sa mère. Son humour, par ailleurs, est plutôt sadique : il se met à rire si sa mère éternue ou si sa sœur s'étouffe avec l'eau du bain. Il s'esclaffe devant les pitreries de sa sœur aînée.

Autrefois, pour le calmer, la mère faisait couler l'eau du robinet ou faisait jouer le *Boléro* de Ravel ; son intérêt pour la musique s'est d'ailleurs accentué. Il adore se dandiner au son d'une musique rythmée.

Elle me mentionne que lorsqu'il l'appelle, il est plutôt porté à jacasser, à gigoter, à bougonner ou à ronchonner.

La mère lui a raconté régulièrement l'histoire de sa grossesse et elle a l'impression que Marcel la comprend très bien.

### Troisième visite : le 19 novembre 1985

Le père mentionne que le « nouveau » Marcel et l'« ancien » sont aussi différents que la nuit et le jour. Marcel est toujours de bonne humeur. Il fait des nuits complètes depuis sa dernière visite.

#### — Le niveau corporel

Il ne vomit plus, n'a plus de gaz ni de coliques.

Il s'est mis à grimper partout, il escalade les escaliers, les meubles, les chaises de façon tout à fait normale, comme sa sœur. De passif, il est devenu actif.

Il va souvent voir sa mère pour vérifier si elle est bien là. Il grimpe sur elle pour lui témoigner un peu d'affection et repart à la découverte de son environnement.

Son maniérisme a complètement disparu.

Il utilise de moins en moins le toucher comme moyen de communication.

Il ne se sert de son nez que pour sentir les choses parfumées.

Il se rend souvent où sont rangés ses objets et même ceux des autres. Si sa sœur jumelle lui prend ses objets personnels, il va les chercher dès qu'il s'en rend compte et refuse de les lui redonner.

Il exprime son sens du pardon par un comportement physique : il cherche à se coller pour être excusé.

Son corps sent bon alors qu'il sentait la transpiration, même cinq minutes après son bain.

#### — Le niveau affectif

Il peut exprimer ses émotions, et la mère raconte que cela se reflète sur son visage : il fait des mimiques qui expriment ses différentes sensations de faim, de froid, de chaleur, de dégoût (il crache ce qu'il n'aime pas).

Il regarde sa mère dans les yeux et lui sourit. Auparavant, ce regard s'adressait seulement à ses grands-parents, à sa sœur et à son père. Il ne se sentait heureux que dans les bras de sa mère. Ailleurs il restait froid et ne manifestait aucun sentiment.

Lorsque sa mère revient à la maison, il lui fait la fête. Les sons émis par la machine à écrire de sa mère le tranquillise.

Il joue davantage seul. Il aime beaucoup tourner en rond autour de la table. Il s'est mis à jouer avec son chien, il n'en a plus peur : il lui court après, lui rentre la main dans la gueule et le tire par la queue. Il aime beaucoup taquiner sa sœur en lui subtilisant des jouets qu'il lui rend quelques secondes plus tard. Il arrache joyeusement à son père les poils des bras et de la poitrine. Il est donc entré dans sa phase sadique de neuf à trente mois. Il aime mieux jouer à cache-cache avec sa mère ; et si elle fait mine de pleurer, il tente de la consoler par le toucher en la frottant. Par ailleurs, il ne démontre encore aucun signe de prévenance. Il taquine aussi sa mère en s'accrochant à ses jambes de façon à l'empêcher de bouger (agacerie favorite de l'*auditif*).

## — Le niveau intellectuel

Marcel a fait beaucoup de progrès. Il est devenu très persévérant et très patient dans sa recherche de la fonction des objets ; il est attiré par leurs couleurs vives et surtout par leur forme (un sifflet).

Il prononce clairement et fermement quatre mots : « papa », « maman », « à terre » et « attend ».

Il n'est plus lunatique : il ne manque rien de ce qui se passe autour de lui. Il s'intéresse même aux concoctions culinaires de sa mère et exige qu'elle le soulève pour qu'il puisse voir de ses propres yeux ce qui mijote dans les plats. Il remarque immédiatement le moindre objet qui dépasse d'un placard et va le chercher. Il peut regarder la télévision pendant cinq minutes, surtout les émissions pour enfants.

Il sait très bien ce qu'il ne doit pas faire mais il essaie quand même.

Il est de plus en plus autonome.

## — Le niveau social

Il est beaucoup plus sociable. On peut le faire garder plus facilement. Il se laisse facilement prendre par quelqu'un qu'il ne connaît pas. Il a perdu sa manie de mordre les autres, même son père. Lorsqu'il fait une bêtise, et que sa mère lui demande : « qui a fait ça ? » il sourit et tape des mains pour applaudir en regardant sa mère.

Marcel a découvert une certaine notion de l'amitié, il s'amuse assez bien avec les autres enfants plus âgés ; il rit aux éclats avec eux. Lorsqu'il taquine sa mère, il jette à son père un regard complice.

La musique l'intéresse toujours et il aime beaucoup danser avec les autres enfants, et même avec les adultes.

## — La notion d'espace-temps

Il maîtrise un peu mieux la notion de temps : il peut s'éloigner de sa mère pour une période moyenne de trois minutes. Il peut laisser passer cinq minutes avant de vérifier à nouveau que sa mère est bien là, selon ce qui l'attire et selon le bruit qu'elle fait. Ainsi, s'il entend un bruit de vaisselle, il ne va pas vers sa mère. Depuis quinze jours, il a cessé son « appel à la mère » ; il se déplace vers elle pour lui montrer ce qu'il fait, bien ou mal. La mère me confirme que, lors de son stade d'« appel à la mère » il ne criait pas après elle mais qu'il faisait plutôt du bruit ou ronchonnait.

J'estime que Marcel n'a plus besoin de moi, je ne le reverrai que si besoin est. J'explique à la mère qu'elle devra peut-être répéter l'histoire de sa grossesse au début de chaque phase si elle se rend compte que son enfant régresse ; mais j'ai l'impression que cela ne sera pas nécessaire.

14 mai 1986

J'ai revu Marcel à quelques reprises pour des raisons de santé physique : il se développe normalement.

## Histoire d'André, né le 2 décembre 1985

André est de profil *auditif*, il a quatre mois, sa mère de profil *visuel* est célibataire.

Un mois auparavant, j'avais vu son frère Richard, de profil *visuel*, âgé de huit ans et hyperactif, pour lequel j'avais entrepris un traitement. Quinze jours après le traitement de Richard, la mère se rendit compte d'elle-même qu'elle avait infligé un grave déficit de communication à André en le prenant comme confident et en lui demandant de vivre pour elle. Elle entreprit donc le traitement d'elle-même, sans m'avoir consulté. Voici ce qu'elle me raconta.

*« Vous savez docteur, je suis allée voir le pédiatre à trois reprises parce que je croyais qu'André était sourd : il ne regardait personne et ne réagissait pas aux bruits... même pas à celui d'une scie électrique. Il buvait très lentement et ne semblait pas avoir d'énergie. Mon père et mon frère ne voulaient pas que j'aie cet enfant et me suggéraient de me faire avorter. Ma mère et ma sœur, elles, m'ont soutenue contre eux.*

*Maintenant que j'ai passé deux jours à lui raconter l'histoire de ma grossesse, il écoute et il a l'air de bien comprendre, il s'amuse seul dans son berceau au lieu de pleurer continuellement pour être dans mes bras. Au lieu de boire lentement comme si ça ne l'intéressait pas il s'arrête de boire pour gazouiller très fort, crier de joie et regarder autour de lui. Il accepte de rester seul pendant un maximum de dix minutes, sur une chaise ou dans une autre pièce. Si l'on dépasse l'heure de son bain, le soir, il ne dort pas et il rechigne. Il se montre plus câlin, il est porté à me sentir et à me toucher. Il met tout dans sa bouche et tient fermement*

*son biberon. On dirait qu'il sait l'heure car il se réveille
toutes les heures, comme une horloge. Lorsqu'il ne
veut plus boire, il repousse la tétine avec sa langue.
Il sourit à ma sœur et à ma mère mais, par contre, il
fait de gros yeux, il fait la moue et il pleure quand il
voit mon père ou mon frère : il doit certainement se
sentir menacé en leur présence. Il me sourit mais il me
fait aussi les gros yeux si je le gronde. Si je persiste
à lui faire de gros yeux ou à le gronder, il se colle sur
moi ou se met à gazouiller. S'il est content, il gazouille
et il rit. Par contre, il rechigne si son mobile s'arrête
de tourner et de faire du bruit. Avant, il me souriait
du coin des lèvres (rictus) ; maintenant, c'est tout son
visage qui rit. En ce moment, il s'essaie seul à une
tâche (atteindre un objet avec sa main) ; s'il échoue,
il se met à crier. Je sais maintenant que mon enfant
n'est pas sourd et que son refus de communication
dépendait de moi. Je me sens libérée et heureuse. »*

Je vérifie et me rends compte que son fils André a
accompli les mêmes progrès que Luce (le cas suivant). Lors
des autres visites, j'ai pu constater qu'il allait toujours bien.

## Histoire de Luce, née le 20 août 1985

### Première visite : le 21 novembre 1985

Luce est une enfant de profil *auditif,* elle a trois mois,
sa mère et sa sœur, qui a trois ans, sont de profil *visuel.*

Luce dort assez bien la nuit, de vingt-et-une heures à
sept heures, parce qu'elle est épuisée ; en effet, elle ne dort
pas de la journée, à moins d'être dans les bras de sa mère.
Lorsqu'elle s'éveille le matin, sa mère lui donne une tétine
au lieu du biberon : elle considère comme un fardeau de se
lever pour cette enfant, alors que ce n'était pas le cas pour
son autre fille. À l'heure du déjeuner, la mère la prend une
heure et elle tente ensuite de la recoucher, mais sans succès.
Luce s'éveille toutes les cinq minutes, grogne, crie et combat
le sommeil toute la journée. Elle ne semble heureuse que

dans les bras de sa mère. Comme elle ne dort pas de la journée, la mère finit par se lasser de l'entendre. Lorsqu'elle sent qu'elle est trop épuisée, elle lui prend la main et elle s'endort ; mais dès qu'elle ne la touche plus, Luce s'éveille et reprend son cri fatigant et strident.

Elle souffre d'insécurité lorsque sa mère disparaît de son champ de vision ou si elle ne lui tient plus la main. Elle se met à hurler à la moindre réprimande.

Elle refuse de regarder sa mère dans les yeux ou de lui sourire, alors qu'elle sourit à sa sœur, à son père et même à moi au bureau. À la fin de l'entrevue, je m'arrange pour qu'elle me sourie et me regarde dans les yeux et, lorsqu'à ma demande la mère s'approche du visage de l'enfant, son sourire se fige et elle détourne les yeux.

La mère me dit d'ailleurs qu'elle ne se sent pas aussi attirée par ce bébé que par le premier et qu'elle ne l'aime pas autant. Elle se sent coupable envers Luce sans trop savoir pourquoi. Elle a l'impression de ne pas avoir besoin d'elle. Elle la sent froide, sans sentiment. Elle n'est jamais contente et n'exprime pas de désirs comme son premier bébé le faisait à cet âge. Elle gazouille seule avec les bruits ou avec sa sœur, mais absolument pas avec sa mère (sa sœur lui a beaucoup parlé et elle l'a beaucoup touchée pendant la grossesse). L'enfant affecte un mutisme total envers sa mère.

Elle ne comprend pas que leur relation se soit détériorée à partir du deuxième mois. Le premier mois, son enfant était un amour. Je lui explique que ce mois correspondait à leur phase de « lune de miel » et qu'il en est toujours ainsi avec les nouveau-nés de profil *auditif*. Si son enfant réagit ainsi avec elle, c'est qu'elle veut qu'elle change d'attitude envers elle. Elle veut lui manifester qu'elle lui a transmis un ordre de non-communication lorsqu'elle la portait et qu'elle ne demande qu'à en être débarrassée.

Puis, je recherchai avec la mère le déficit de communication intra-utéro qui s'était établi entre elle et sa fille, et lui expliquai comment y remédier. Je la revis quinze jours plus tard.

### Deuxième visite : le 3 décembre 1985

Luce est un adorable bébé ! Elle sourit à sa mère et lui fait la fête. Elle rit aux éclats et la regarde droit dans les yeux. Elle dort bien le jour. La mère se sent libérée et heureuse.

Elle a senti un changement radical chez l'enfant en moins de quatre jours. Le père, qui s'occupe davantage de la petite, l'adore ; lui-même a observé de grands changements : Luce prend maintenant son temps pour boire ; elle s'arrête pour regarder calmement autour d'elle. La mère dit qu'« avant, elle buvait pour boire, un vrai glouton ; maintenant, elle boit par plaisir » ; elle peut interrompre son biberon cinq minutes entre ses éructations.

#### — Le niveau corporel

Luce a un bon sens de la fatigue qu'elle exprime en se frottant le nez et les yeux ; elle accepte qu'on la couche ; elle relève une fois la tête pour regarder autour d'elle et s'endort. Elle dort en position de détente, au lieu d'être toute crispée et d'avoir les poings serrés. Elle n'a plus besoin de se balancer pour s'endormir. Elle n'a donc plus besoin de sa mère au moment du coucher et celle-ci n'a plus à lui tenir la main pour qu'elle s'endorme.

Lorsqu'elle est fatiguée ou lasse d'une position ou d'un lieu, elle sait le manifester : elle se plaint par intervalles pour voir si on répond à son appel. Elle a d'ailleurs un très bon sens de la propreté : si elle se mouille, elle geint. Elle manifeste donc un pouvoir d'analyse et d'expression de ses sensations corporelles.

Luce adore maintenant prendre son bain avec sa mère et lui toucher la peau du cou ; elle relaxe et elle gazouille. Auparavant, elle était tellement crispée et avait tellement peur que sa mère devait lui tenir les deux mains. Si l'eau est trop chaude, elle se recroqueville, si elle est trop froide, elle pleure. Quand le bain est fini, elle pleure de mécontentement.

Son corps est plus ferme lorsque son père la tient à bout de bras.

Son timbre de voix est plus clair et plus soutenu.

La mère raconte qu'elle pleure bien, ce n'est plus un cri.

Son corps a complètement perdu ses mauvaises odeurs.

## — Le niveau affectif

Tout va bien. Luce rit et gazouille avec sa mère : elle ne lui manifeste plus d'indifférence. Elle échange avec elle et réagit adéquatement à ses tensions intérieures : si elle est plus nerveuse, elle est plus braillarde et grognonne ; si elle a du chagrin, elle la regarde fixement et semble mal à l'aise. Elle accepte que sa mère la gronde : elle se contente de la regarder sans pleurer, comme si elle comprenait. La mère sait et sent que sa fille l'aime.

Devant les étrangers, elle commence par faire la moue puis les accepte en souriant.

## — Le niveau intellectuel

Luce est au stade de l'écholalie. Elle fait de beaux « ah ah ah » avec sa sœur et sa mère, ce qu'elle ne faisait pas auparavant.

Sa mère me raconte qu'elle n'est plus passive mentalement : « Elle vit au lieu de se laisser vivre ». Elle se concentre très bien sur tout ce qui l'entoure et essaie de comprendre par l'ouïe, la vue ou le toucher ; sa concentration se manifeste surtout devant la télévision.

## — L'utilisation simultanée des trois niveaux (corporel, affectif et intellectuel) dans la communication.

Luce dort très bien.

Elle ne panique plus et ne manifeste plus d'insécurité.

Tout semble l'intéresser et l'exciter, tant qu'elle n'est pas abattue de fatigue. Elle s'intéresse à ses jouets et à ses mobiles alors que son environnement la laissait tout à fait indifférente. Elle prend l'initiative en cherchant à saisir son biberon ou les objets qui l'entourent. Elle peut faire tourner son mobile avec sa main. Elle observe aussi les gestes des autres (sa sœur qui court dans la pièce). Si elle entend l'eau qui coule dans la baignoire, elle arrête de rechigner et commence à s'exciter.

Luce sait ce qu'elle veut : lorsqu'elle entend l'eau bouillir pour réchauffer son biberon, elle rouspète si ça ne vient pas assez vite.

Elle participe aux gestes qui la concernent : elle avance le dos, raidit la tête et le tronc juste avant qu'on la soulève. Dans la baignoire, elle bat des pieds et des mains pour tout éclabousser. Elle participe aux changements de couches : elle garde les jambes en l'air toute la durée de l'opération.

Elle manifeste une bonne notion de temps et est plus autonome : on peut la laisser seule sans être obligé de lui parler ou de la toucher continuellement ; sa mère dit qu'elle n'est plus obligée de l'emmener aux toilettes avec elle ; elle peut rester assise une demi-heure devant la télévision sans rechigner ; elle peut rester seule dans son parc une demi-heure en s'amusant à bouger un mobile.

On peut dire aussi qu'elle utilise sa mémoire : elle ne fait plus la moue devant une personne dont elle a déjà entendu la voix.

Sa mère peut prévoir ses faits et gestes : même son désir de se faire prendre ou le désir qu'on lui parle grâce aux bruits qu'elle fait avec sa bouche ou à la façon dont elle s'excite lorsqu'on joue avec elle.

La mère note que Luce aime toujours la musique, qu'elle se montre plus bavarde et plus patiente. Enfin, elle me dit qu'elle marmonne ce qui semble être un « maman » très frustre. Elle est toute émerveillée de son enfant.

## Histoire d'Antoine, né le 10 février 1986

### Visite du 7 mars 1986

Antoine est de profil *visuel* comme son père. Sa mère, la dernière de huit enfants, a perdu sa mère à l'âge de six ans et son père ne s'est jamais occupé d'elle. Elle a été élevée par ses frères et sœurs qui la dévalorisaient intellectuellement.

Raison de la visite.

La mère m'amène son enfant parce qu'il reste éveillé de sept à neuf heures par jour et qu'il l'éveille encore quatre fois par nuit. S'il n'est pas dans ses bras, il pleure et il panique. Il est beaucoup plus calme dans les bras de son père (qui lui parlait intra-utéro). Il boit très vite quarante onces de lait par jour (un peu plus d'un litre). Il sursaute au moindre bruit. Il est toujours agité : il bouge continuellement les mains et les bras et, dans son sommeil, il se plaint en émettant des sons.

Il ne s'éveille pas s'il est mouillé ou souillé et ne force pas pour évacuer ses selles. Il souffre de coliques et de gaz. À la naissance, il avait à peine sorti la moitié du corps qu'il hurlait déjà. À la pouponnière, il n'était jamais dans son lit. Comme il pleurait trop, les infirmières l'avaient continuellement dans les bras. Il leur faisait déjà des crises au moment du bain. La mère avait refusé la cohabitation, pour se reposer.

Durant la grossesse.

La mère a prolongé sa grossesse de quatre jours.

Elle a travaillé dans un restaurant jusqu'à sept mois et demi et s'est consacrée à la rénovation de la maison jusqu'à la veille de l'accouchement. Elle s'occupait en plus des tâches ménagères et de sa fille aînée. Son travail la stressait beaucoup. Elle ne parlait pas à son enfant, ne vivait pas en fonction de lui.

L'enfant bougeait surtout entre vingt-et-une heures et vingt-quatre heures mais elle était trop occupée pour penser à lui. Il lui faisait souvent mal. Mais la sœur d'Antoine lui parlait beaucoup intra-utéro ; en effet, il se calme et lui sourit lorsqu'elle lui parle.

### Première journée de traitement, 7 mars 1986, récit de la mère :

*En sortant du bureau, j'ai tout de suite commencé à communiquer avec Antoine : tout le long du trajet en auto, je n'ai pas cessé de lui parler mentalement. À la maison, dès que j'ai été seule avec lui, je me suis mise à lui parler tout haut en lui expliquant tous les problèmes que j'avais eus enceinte, en lui disant combien je l'aimais. Pendant plusieurs heures, je lui ai parlé de toutes sortes de sujets.*

*Il a réussi à s'endormir dans mes bras, mais dès que je l'ai couché, il s'est réveillé et s'est mis à pleurer. Alors, je l'ai repris dans mes bras et j'ai recommencé à lui parler. À dix-huit heures, le petit n'avait dormi qu'une heure environ, par intervalles, dans les dernières douze heures. La fatigue me rendait très sensible. La dernière fois que j'ai tenté de le coucher, il s'est remis à pleurer. Alors, moi aussi, j'ai pleuré. Je me suis vidé le cœur en lui demandant pardon de ne pas l'avoir écouté, et de ne pas lui avoir parlé durant ma grossesse. Je lui ai expliqué que je n'étais pas consciente du mal que je lui avais fait ; que je l'aimais très fort ; que si j'avais su cela, j'aurais agi tout autrement et que je n'aurais jamais pu lui faire de mal. Je l'ai assuré que maintenant tout était fini et qu'à partir d'aujourd'hui tout allait changer pour le mieux dans la mesure où je comprenais.*

*Il s'est alors endormi paisiblement. Je crois qu'il m'a comprise, du moins je l'espère de tout mon cœur.*

**8 mars.**

*Nette amélioration d'Antoine. Pour la première fois, il n'a pas pleuré en prenant son bain. Il n'a pas eu ses coliques habituelles. Il bouge toujours les bras, mais un peu moins souvent. J'ai encore de la difficulté à le mettre au lit, car il s'éveille aussitôt que je le couche. Par contre, une fois endormi, il peut dormir trois heures de suite, et plusieurs fois par jour. Il boit moins à la fois, mais plus souvent. Il peut rester seul dans sa chaise plus de quinze minutes, au lieu de cinq.*

**13 mars.**

*Antoine gazouille beaucoup et il émet des sons de contentement en buvant. Ce matin, je lui ai montré un jouet : il le regardait et le suivait des yeux quand je le bougeais ; j'ai constaté qu'il s'énervait un peu en le voyant et qu'il agitait les bras un peu plus. Il manifeste sa douleur lorsqu'il va à la selle car il force, durcit son ventre et se plaint. Il est beaucoup plus calme, il dort davantage et reste assis dans sa chaise de plus en plus longtemps.*

**16 mars.**

*Aucune colique aujourd'hui. Il dort par longues périodes et ne s'éveille que pour boire. Il peut avaler deux biberons de suite. Parfois, il entrouve les yeux, s'étire, reste éveillé quelques minutes puis se rendort.*

## 20 mars, à mon cabinet

Antoine a beaucoup changé. Auparavant, face aux comportements difficiles de son enfant, la mère se questionnait souvent : « ai-je fait quelque chose de travers ou est-ce le petit qui est de travers ? ». Elle considérait son

189

bébé plutôt comme un objet ; maintenant elle le trouve intéressant et s'ennuie pendant son absence.

Il ne hurle plus comme avant ; il se plaint longtemps
avant de se décider à pleurer normalement.

Le son de sa voix est plus doux, moins aigu et moins
criard.

Il gazouille beaucoup en faisant des « ah ah ah ! ».

Il ne souffre plus de coliques. S'il est mouillé, il appelle
en se tortillant, en bougeant beaucoup, de manière à manifester son inconfort. Il raidit la tête et le tronc lorsqu'on le
soulève et participe aux changements de couches en immo-
bilisant ses jambes.

Il peut maintenant regarder sa mère droit dans les yeux.
Il peut aussi supporter son absence quelques minutes lorsqu'il est éveillé.

Il ressent la fatigue : ses paupières se ferment et il se
frotte les oreilles au lieu de se frotter les yeux comme le
font les enfant de profil *auditif*.

Il s'endort dès que sa mère le dépose dans son lit. Il
dort détendu, les mains ouvertes ; il ne dort pas en position
d'hyperextension, il grimace légèrement parfois avec les
yeux mi-clos pour vérifier la présence de sa mère. Lorsqu'il
s'endort dans sa chaise, il peut s'éveiller et se rendormir
sans appeler sa mère. Une fois réveillé, il regarde autour de
lui ; avant, il faisait une crise ! Il peut même dormir dans
un environnement bruyant sans sursauter aux cris ou aux
caresses de sa sœur. Auparavant, il ne s'endormait que collé
sur sa mère, dans le lit et entouré de son bras ; la main de
sa mère dans la sienne ne lui suffisait pas.

Il sursaute moins au bruit lorsqu'il est éveillé.

S'il désire boire et qu'on tente de le faire patienter, il
rejette la tétine trompeuse. Si on tarde trop, il bouge les
bras et s'agite peu à peu. Il peut attendre dix minutes avant
de crier. Il boit plus lentement, en émettant des sons de

satisfaction. Souvent, il délaisse le biberon pour regarder autour de lui, écouter et jouir de son plaisir. Il tient le biberon à deux mains. S'il ne veut plus boire, il repousse le biberon ou ferme résolument la bouche.

Il adore se baigner ; c'est une activité qui le surexcite ; il pleure quand le bain est fini ou si l'eau est trop froide. La mère dit qu'elle se sent plus proche de lui à ce moment de la journée.

Il s'excite à la vue d'objets colorés et de son hochet. Il peut regarder fixement sa perruche pendant dix minutes. Il cherche à saisir les doigts des autres et regarde les siens.

Si sa mère a du chagrin, il semble mal à l'aise et fait la moue.

Il accepte ses petites réprimandes.

Il est régulier comme une horloge et sa mère peut prévoir ses réactions et ses besoins.

**Visite en mai 1986**

Je l'ai revu en mai et l'accord parfait régnait toujours entre la mère et l'enfant.

N.B. Deux autres enfants hyperactifs de moins de quatre mois ont réagi de la même façon au traitement. Le dépistage des enfants « autistes » et « hyperactifs », est expliqué sous forme de tableaux, en annexe.

# LA COMMUNICATION INTRA-UTÉRO

Dans ce chapitre, je désire surtout mettre à jour l'aspect positif de la communication intra-utéro.

## La communication en général

Sans vouloir philosopher ou moraliser, je crois que tout être humain aspire, dans ses échanges avec lui-même et avec ses semblables, à reconnaître et à faire reconnaître sa propre personne. La notion d'échange sous-entend deux autres notions : IDENTITÉ et DUALITÉ.

L'échange peut s'effectuer en NOUS-MÊME si notre hémisphère droit et notre hémisphère gauche peuvent communiquer. On peut alors s'observer, ce qui témoigne de la DUALITÉ de notre conscience entraînant questions et réponses. C'est cette DUALITÉ qui nous permet d'atteindre la perception « dégagée » de notre schéma corporel, de nos émotions, de nos réflexions intellectuelles et de notre situation spatio-temporelle. En termes simples, on peut ainsi savoir qu'on se regarde physiquement, qu'on s'écoute affectivement, qu'on s'apprécie ou non moralement, qu'on se situe dans le temps et l'espace, etc. La perception de notre IDENTITÉ est donc le fruit de la relation bilatérale de nos deux hémisphères cérébraux.

L'échange peut s'établir avec une AUTRE personne, ce qui suppose la reconnaissance de sa propre identité et de celle de l'autre, et donc ÉVIDEMMENT la dualité de ce type d'échange. L'échange peut s'établir sur un seul niveau ou simultanément sur plusieurs niveaux (corporel, affectif, intellectuel, ludique, sexuel ou artistique, religieux, etc.).

Lorsque l'échange se fait entre trois personnes ou plus, cela suppose également des différences et des relations multiples. C'est alors que la notion de société prend forme. Apparaissent alors des notions plus étendues d'affinités et de divergences : institutions, langues nationales, groupes politiques, pays, etc.

## Les moyens de communication

Il y a différents moyens d'établir la communication :

— par l'intermédiaire des canaux courants de communication pour signaler aux autres ses besoins, ses plaisirs et ses déplaisirs, et recevoir leurs messages. Un regard ou un geste peuvent parfois en dire long. Distinguons les canaux de réception de l'information (les cinq sens), des canaux d'émission par lesquels passent les signaux sonores (la parole, le rire, les pleurs, le chant, le cri, le bruit, la musique, etc.), les signaux visuels (le geste, l'attitude corporelle, le sourire, le regard, etc.) les signaux olfactifs (odeurs agréables ou désagréables) et les signaux tactiles (poignée de main, caresse, claque, etc.).

— par divers supports intermédiaires comme les personnes interposées (messagers) et les divers média : téléphone, radio, télévision, livre, courrier, signaux routiers, vêtements, œuvres d'art, objets religieux, etc. Ces moyens de communication sont propres à l'homme car entrent en jeu l'imagination, l'esprit créatif, la logique, etc.

— par empathie : la participation à une idée ou à une activité commune, l'anticipation, l'attention donnée à autrui, la communication psychobiologique interne de l'individu et celle de la symbiose mère-enfant.

## La mémoire

Pour communiquer, il faut être en mesure de recevoir, comparer, trier, compartimenter, enregistrer et conserver dans une « banque » les informations reçues.

Même sans entrer dans les détails, on peut dire, grosso modo, que la mémoire de l'être humain est composée de plusieurs types de banques :

— une banque que l'on imagine totalement inaccessible à l'activité consciente, c'est-à-dire le stock génétique transmis par les parents, qui assure à l'être humain une survie plus ou moins bonne, la qualité de la survie variant selon son propre potentiel et selon la qualité de son actualisation lors de la grossesse et lors de son développement ultérieur ;

— une banque potentiellement accessible à la conscience où se fixent dynamiquement les résultats de l'interaction entre l'individu et son environnement utérin puis extra-utérin.

— une banque directement accessible à la conscience, utilisée dans les activités quotidiennes.

## La procréation

Si durant les quelques mois précédant la procréation, les ovules et les spermatozoïdes en voie de mûrissement peuvent être affectés par des produits chimiques ou biologiques (drogues ou virus), je ne vois pas pourquoi ils ne pourraient pas déjà recevoir, d'une manière encore indéterminée, les empreintes des attitudes (états d'être aux trois niveaux) de leurs procréateurs. De nombreuses observations tendent à confirmer la possibilité d'un tel phénomène. Notons d'ailleurs que la sagesse humaine, aussi loin que l'on puisse remonter dans le temps, a toujours tenté d'éviter les mariages consanguins et la copulation entre personnes très atteintes dans leur état mental.

La sagesse humaine a toujours préconisé un certain cérémonial durant les fréquentations et lors du mariage ainsi que le respect de cette union. Si on confère tant de dignité à l'acte de procréation, c'est pour le rendre le plus conscient possible. La société a appris à travers ses erreurs passées que seul l'état de conscience peut faire naître l'Homme.

Il est donc souhaitable que les parents, dans les mois précédant la procréation, ainsi que la journée même de l'acte et durant toute la grossesse, se conduisent le plus dignement possible. Ils doivent prendre en considération, à tous les niveaux de leur mode de vie, ce troisième être en devenir. Il leur faut donc se conduire de façon raisonnable, éviter tous les excès et favoriser ainsi un environnement sain et agréable.

## Le rôle de la mère

L'enfant, durant sa période intra-utéro, se trouve en symbiose totale avec sa mère. Il est, par conséquent, entièrement dépendant d'elle, non seulement pour ses apports physiques, mais aussi pour ses apports à tous les autres niveaux, y compris ses communications avec le monde extérieur et avec lui-même.

En effet, il semble d'après mes observations faites sur les *autistes* et les *hyperactifs,* que seule la mère puisse permettre à l'enfant intra-utéro de s'identifier ultérieurement. C'est durant cette période qu'elle lui accorde implicitement le droit d'ÊTRE CONSCIENT à tous les niveaux. Elle lui transmet ce droit en communiquant consciemment avec lui ou au moins en lui permettant de participer passivement à ses états de pensée, à ses états affectifs ou biologiques (hormonaux), etc.

Elle communique donc directement avec lui, par la pensée, par ses états émotifs, par la parole ou le toucher. Elle peut le prévenir en pensée ou en parole : « nous allons chez ta grand-maman : il y aura beaucoup de monde ; nous discuterons ferme et nous rirons beaucoup ; ce sera bruyant et excitant. » Lorsqu'un bruit soudain et fort le fait bouger, elle peut le rassurer par la parole, la pensée ou le toucher : « ce n'est pas grave, ce n'est qu'un coup de tonnerre !... le bruit d'une motocyclette ! » Elle peut lui expliquer le bruissement du vent dans les feuilles de la forêt, la chaleur ou le froid du dehors, le réconfort d'un bon bain. Elle peut le faire participer à ses états d'âme artistique, religieux ou affectif en lui faisant écouter de la musique, en lisant, en regardant un film, etc.

La mère, en adoptant le profil préférentiel de son enfant durant la grossesse, accroît la symbiose : elle l'acclimate graduellement à la vie extérieure et à sa vie future en acceptant de vivre un peu comme lui à tous les niveaux.

Par conséquent, d'un côté, elle subit l'influence (génétique ou hormonale ?) de cet enfant issu d'elle-même et de son mari. Certaines mères anticipent l'avenir de leur enfant ; d'autres voient disparaître eczéma ou asthme ; d'autres encore ressentent des états émotifs ou intellectuels plus marqués (élans de générosité, grande sensibilité artistique, affinités nouvelles pour certains travaux, etc.) ; enfin certaines peuvent évidemment ressentir aussi les états négatifs dont leur enfant se trouve porteur.

D'un autre côté, la mère agit aussi sur son enfant. Elle peut imprimer dans sa mémoire, d'une manière encore indéterminée, certaines attitudes émotives intenses, positives ou négatives, et certains déficits de communication graves qu'elle a vécus plus ou moins consciemment et qui d'après mes observations, peuvent remonter à quelques semaines avant la conception de l'enfant.

La mère façonne donc plus ou moins consciemment des empreintes dans le cerveau de son enfant, et ceci de deux manières. La mère qui porte un enfant de son propre profil semble se référer davantage à son propre bagage génétique plutôt qu'à celui de son mari, ainsi qu'à son profil préférentiel d'apprentissage dans les messages qu'elle transmet à l'enfant. Par contre, la mère qui porte un enfant de même profil que celui de son mari se réfère davantage au bagage génétique de son mari dans les messages qu'elle transmet à l'enfant, en laissant de côté une partie de son propre bagage. Agissant ainsi, elle puise dans toute son expérience passée et dans l'expérience qu'elle a acquise au contact des personnes de profil complémentaire.

Durant la grossesse, on dirait que la mère utilise le moins possible son comportement d'adulte face à son enfant, comme pour le laisser libre dans son devenir. Elle se fie plutôt à son instinct maternel pour communiquer et s'harmoniser avec lui, et se mettre ainsi au niveau de cet enfant qui ne peut se hisser seul au niveau de l'adulte. La mère qui utilise son plein état de conscience d'adulte le fait, et doit le faire, uniquement dans le but de protéger la liberté de son enfant ; par conséquent, lorsque la mère subit un état émotif intense ou de longue durée (inquiétude, ambivalence, ennui, état dépressif, terreur, boulimie, etc.), elle doit « désengager » l'enfant de son problème d'adulte en lui expliquant : « je me sens inquiète (malheureuse, etc.), mais ça ne regarde que moi ; je peux et je dois seule faire face à ce problème ; ainsi, tu pourras agir à ta guise et selon ton bon jugement plus tard. » L'enfant se sent alors totalement libéré des problèmes de sa mère.

La mère, en adoptant le profil préférentiel de son enfant durant sa grossesse, entretient une symbiose totale avec celui-ci. La mère, pour ainsi dire, initie son bébé en le faisant vivre comme elle et en le faisant participer à sa propre vie. Ils ont tous deux les mêmes rythmes et les mêmes états d'âme biologiques : cycle du sommeil, des jours, des semaines, des saisons, des repas, de toutes les activités physiques, affectives, intellectuelles, sexuelles, sociales, etc. La mère doit être à son écoute mais elle ne doit pas devenir son esclave. Elle doit aussi être très consciente des mouvements et de l'immobilité de son enfant, car c'est le seul moyen qu'elle a de percevoir les besoins de son enfant. Il faut bien comprendre que la mère ne doit pas s'attacher aux moindres détails, que le bébé peut supporter autant qu'elle tous les petits heurts de la vie et, enfin, qu'il faut donner des explications à l'enfant s'il bouge ou si la mère le juge utile.

## Le rôle du père

Souvent, le père, de lui-même, parle au bébé et le touche. Mais, parfois, c'est la mère qui incite son mari à prendre conscience de la présence du nouvel être en se collant sur son mari, en lui demandant de toucher son ventre, de l'inclure dans leurs projets communs, de modifier leur rythme et leurs habitudes de vie.

Du fait du changement de comportement de la mère en présence du père, et du fait que le père communique avec l'enfant par la parole et le toucher, le bébé intra-utéro perçoit le père comme un être étranger au groupe mère-enfant. D'après mes observations, plus le père communique en quantité et en qualité avec le bébé intra-utéro, plus celui-ci se montrera ouvert, assuré et prêt à communiquer avec tous les adultes plus tard ; en effet, le père représente le monde adulte extérieur pour le bébé intra-utéro.

La mère enceinte redevient presque une adolescente face à son enfant, afin de mieux communiquer avec lui. Dans ces moments-là, elle attend de la part son mari une attitude protectrice, compatissante et davantage aimante, celle d'un père plutôt que celle d'un mari.

Lorsque la mère porte un enfant dont le profil préférentiel est complémentaire au sien, elle perd son propre profil préférentiel pour adopter celui de l'enfant, qui se trouve être le profil préférentiel de son mari. S'il est conscient de ce phénomène, le père démontre alors plus de tolérance et d'empathie envers sa femme, et s'attache davantage à cet enfant qui aura plus tard une vision du monde semblable à la sienne. Le père, de ce fait, peut remplacer aussi la mère auprès de leurs autres enfants en utilisant davantage son profil complémentaire sans trop de difficulté.

## Les autres intervenants

Les personnes étrangères à la famille (grands-parents, tantes, oncles, voisins, etc.) qui communiquent avec la mère à propos de l'enfant ou qui communiquent directement avec celui-ci sont perçues par le bébé à travers les attitudes intérieures de la mère (agréables, désagréables ou indifférentes, menaçantes ou non, etc.). Après la naissance, l'enfant les percevra encore de la même façon, à moins que la mère ne modifie son attitude.

Les aînés ou les autres enfants qui communiquent par le toucher ou la parole avec le bébé intra-utéro favorisent également son développement, communication et sa socialisation future.

On peut dire que le père et la mère, face à l'enfant, représentent toutes les institutions. C'est donc à travers ses parents que l'enfant entre en relation avec elles et qu'il s'en fait une certaine image. Image qui sera pour l'enfant, à la mesure de la représentativité des parents.

## Conclusion

La mère peut accepter tous les conseils mais en dernier ressort, elle est, et se doit de toujours le demeurer, le seul juge, le seul maître d'œuvre de la communication avec son enfant intra-utéro.

N.B. Puisque la mère adopte le profil préférentiel de son enfant durant toute la grossesse, j'ai l'impression que la communication entre la mère et son enfant intra-utéro s'établit sans dualité, c'est-à-dire uniquement par l'intermédiaire de leur même profil. La prise de conscience dualiste s'établirait donc probablement après la naissance, lorsque l'enfant apprend à s'identifier à l'aide de son profil complémentaire.

200

# CONCLUSION

*« Car le moi est une mer sans limites et sans mesures. »*

Khalil Gibran

Cet essai ne peut évidemment rendre compte de tous les détails observés chez les enfants et les adultes traités : les comportements humains, leurs racines et les facteurs du développement de la personne sont innombrables. Je laisse donc place à l'imagination des thérapeutes en espérant qu'ils sauront faire preuve de souplesse, d'intuition et, bien sûr, d'un esprit critique et constructif... d'autant plus que, le plus souvent, c'est encore l'enfant qui nous donne la réponse !

L'approche selon les profils est très humaine, souple quoique précise, qui a permis et permettra encore une investigation toujours plus poussée et plus raffinée du développement harmonieux de l'enfant et de l'adulte. Elle permet de répondre aux questions que se posent les milieux scientifique et populaire, et elle permet d'en formuler de nouvelles : quelles seraient les causes profondes de l'alcoolisme, de l'anorexie mentale, de l'obésité, des tendances dépressives et suicidaires, du viol, de l'inceste ? Pourquoi battrait-on des enfants et des femmes ? Cette approche thérapeutique pourrait-elle se révéler efficace dans le traitement des cas qui viennent d'être énumérés ? Se révélera-t-elle pertinente dans l'étude de cas d'homosexualité ?

Quoiqu'il en soit, j'ai pu constater l'efficacité de l'approche selon les profils : la disparition des signes de dévalorisation des personnes traitées (quel que soit leur âge) se révèle rapide et permanente et il semble que les parents et les adultes traités l'acceptent relativement facilement. J'espère de tout cœur que les intervenants du milieu thérapeu-

201

tique sauront en prendre connaissance avec autant d'ouverture d'esprit que les patients, et la mettre rapidement au service des personnes qui en ont besoin.

Peut-être ce système d'appréhension et ce traitement, une fois pleinement maîtrisés et explorés, seront-ils supplantés par une autre approche issue de la première... Pourquoi pas ? !

TABLEAU I

## Répartition selon le sexe

| | Groupe des 27 cas ayant atteint l'âge phasique | | | Groupe des 46 cas* | | |
|---|---|---|---|---|---|---|
| | Garçons | Filles | Grand total | Garçons | Filles | Grand Total |
| Auditifs | 7 | 2 | 9 | 16 | 7 | 23 |
| Visuels | 15 | 3 | 18 | 18 | 5 | 23 |
| Total | 22 | 5 | 27 | 34 | 12 | 46 |

## COMMENTAIRES

— **Groupe des 27 cas :**

Les *auditifs* se détectent plus difficilement parce qu'ils dérangent moins la société. Ils sont plus renfermés et portés à se retirer.

Le traitement débuta d'abord avec un petit groupe d'hyperactifs ou *visuels*, les *auditifs* vinrent par la suite de façon spontanée.

— **Groupe des 46 cas :**

Dans cette série, il y a trois fois plus de garçons que de filles. Les mères identifieraient et corrigeraient-elles spontanément les D.C.I.U.* de leurs filles ? Seraient-elles incapables de le faire avec leurs fils ? Un système de détection en bas âge donnerait-il les mêmes résultats ?

*Chez les trois enfants de moins de 9 mois que j'ai traités, la mère de la fille cherchait davantage à corriger le déficit de son enfant. La mère d'un garçon semblait dépourvue, portée davantage à le fuir. L'autre mère se montrait tout simplement impuissante devant l'attitude de son fils.

* Les 3 cas de 0 à 9 mois ne font pas partie des tableaux VI à XVIII, étant donné les manifestations très frustres de leur développement.

* Déficit de communication intra-utéro.

TABLEAU II

## Résultats du traitement
## sur 46 cas étudiés

**4 CAS :**
— Abandon du traitement, les parents ayant refusé cette approche thérapeutique.

**27 CAS :**
— Ils ont accompli la phase de développement correspondant à leur âge chronologique et on peut considérer que le traitement est terminé.
— L'âge moyen de ces 27 cas est de 6,39 ans.
— Le traitement est d'une durée moyenne de 5,48 mois.

### Répartition par groupe d'âge

| Nombre de cas | Groupe d'âge | Âge (ans) moyen | Durée moyenne du traitement |
|---|---|---|---|
| 4 | de 10 à 30 mois | 1,875 | 2,25 mois |
| 6 | de 2½ ans à 7 ans | 4,25 | 5,66 mois |
| 9 | de 7 à 10 ans (filles) de 7 à 12 ans (garçons) | 8,10 | 8,50 mois |
| 5 | de 10 à 18 ans (filles) de 12 à 18 ans (garçons) | 12,83 | 8,83 mois |
| 3* | de 1 à 9 mois | 3½ mois | 3 semaines |

* Les 3 cas de 0 à 9 mois ne font pas partie des tableaux VI à XVIII, étant donné les manifestations très frustres de leur développement.

(Suite page suivante)

TABLEAU II

**Résultàts du traitement
sur 46 cas étudiés (Suite)**

**3 CAS :**
- Encore en traitement après 15 mois.
- Au début du traitement, se situent à moins de 9 mois d'âge phasique.
- Actuellement, se situent dans la phase précédant le développement propre à leur âge chronologique.
- *Répartition :*
  1 fille, 16 ans, autiste, en phase de latence ;
  1 fille, 18 ans, hyperactive, en phase de latence ;
  1 garçon, 9 ans, hyperactif, en phase œdipienne.

**12 CAS :**
- Encore en traitement.
- L'âge moyen de ces cas est de 11,34 ans.
- La durée moyenne du traitement de ces cas est de 4,41 mois.
- *3 cas :* — Il ne leur reste à accomplir que la phase correspondant à leur âge chronologique.
  — Au départ, ils se situaient entre 10 et 30 mois d'âge phasique.
- *4 cas :* — Ils ont accompli deux phases de développement.
  — Au départ, ils se situaient à moins de 9 mois d'âge phasique.
  — *Répartition :*
  2 hyperactifs profonds ;
  1 autiste profond (voir grille MSD III) ;
  1 avec trait autiste (voir grille MSD III).
- *5 cas :* — Ils ont accompli une phase minimum de développement.
  — Au départ, ils se situaient entre 10 et 30 mois d'âge phasique.

TABLEAU III

## Messages causant les D.C.I.U. (43 cas)

### A) Messages généraux de non-communication

| | Auditifs | Visuels |
|---|---|---|
| 1) Indifférence, insouciance, inconscience ou détachement excessif, il n'y a pas de changement d'habitudes de vie (fumer, manger, dormir). La mère a plus ou moins l'impression d'être enceinte. On pensera au bébé après la naissance. « C'est un fardeau, une corvée et non mon sport favori ! » | 14 | 15 |
| 2) Travail excessif. 3 métiers à la fois, gardes d'enfants, mari ou enfant malade. | 8 | 12 |
| 3) Peur de fausse couche (fausse couche antécédente), menace d'avortement spontané. | 2 | 4 |
| 4) Question de survie, chez la mère. | — | 1 |
| 5) Mère qui vit sa grossesse pour elle-même et non en fonction du bébé. | 9 | 5 |
| 6) Prématuré qui subit une hospitalisation prolongée. | 2 | — |
| 7) Refus d'admettre la grossesse. | — | 1 |
| 8) Usage de drogue. (Fiorinal tous les jours). Usage de boissons alcoolisées le soir pour calmer le bébé. | 2 | — |
| 9) Enfant pris comme confident. | 2 | 2 |
| 10) Mère vivant pour elle-même le soir. | 3 | — |
| 11) Mère considérant son enfant comme un objet. | 3 | 1 |
| 12) Refus de mettre l'enfant en contact avec le monde extérieur. | 1 | 3 |
| 13) Mère qui revit son adolescence. Si l'adolescence a été malheureuse, la mère est portée à fuir cet état par un excès de travail ou de distractions. | 9 | 9 |
| 14) Une des mères visuelles vit sa grossesse en état de tension prémenstruelle (a vécu l'inceste à l'adolescence). | 1 | — |
| 15) Mère ambivalente si le mari se sent abandonné ou si elle se sent menacée dans son aptitude à être une bonne mère ou une bonne épouse. | 5 | 1 |

(Suite page suivante)

206

TABLEAU III

## Messages causant les D.C.I.U. (43 cas) (Suite)

### B) Diktats (ordres) positifs ou négatifs

| | Auditifs | Visuels |
|---|---|---|
| 1) Ne te laisse pas marcher sur les pieds par qui que ce soit. | 2 | 4 |
| 2) Sois dur et insensible. | — | 3 |
| 3) Je veux que tu sois débrouillard, et que tu puisses t'organiser seul sans t'accrocher aux jupes de ta mère ; que tu sois adulte, autonome et que tu puisses faire trois choses à la fois. | — | 4 |
| 4) Je veux que tu m'aimes. | 1 | — |
| 5) Je veux que tu sois un enfant tranquille, qui dort bien et qui ne pleure pas. | 2 | 1 |
| 6) Je veux que tu sois en forme pour m'aider dans mon travail plus tard. | 1 | — |
| 7) Je veux que tu naisses avant terme pour ne pas être du même signe du zodiaque que ton père. | — | 1 |
| 8) Je désire que tu ne vives que pour ton frère. | 1 | 1 |
| 9) Je veux que tu sois incapable de t'organiser seul, que tu ne sois pas débrouillard et que tu sois craintif. | 1 | — |
| 10) Je ne veux pas que tu grandisses. | 1 | — |
| 11) Je veux que tu remettes tout à plus tard. | — | 1 |
| 12) Je souhaitais un bébé de l'autre sexe. | 5 | — |

(Suite page suivante)

TABLEAU III

## Messages causant les D.C.I.U. (43 cas) (Suite)

**C) Autres messages**

| | Auditifs | Visuels |
|---|---|---|
| 1) Peur de la mort. | 2 | 4 |
| 2) Peur d'infirmité physique ou mentale. | — | 3 |
| 3) Insécurité, agressivité, frustration et angoisse. (causée par peur de la césarienne ou de l'accouchement). | 3 | 9 |
| 4) Peur du mari et des hommes parce que la mère enceinte a été battue. | 1 | 1 |
| 5) Mère victime de l'inceste à l'adolescence. | 3 | 2 |
| 6) Mère violée à l'adolescence. | 1 | — |
| 7) Père ayant visionné des films pornos le soir de la conception. | 1 | — |
| 8) Mère refusant le bébé durant une période de la grossesse. | — | 2 |
| 9) Obésité. | 2 | — |
| 10) Ennui. | 3 | 3 |
| 11) Alimentation sucrée. | — | 1 |
| 12) État dépressif. | | |
|   — pendant 9 mois | 3 | 2 |
|   — du 4$^e$ mois de la grossesse jusqu'à 12 mois après la naissance | — | 1 |
|   — jusqu'à 6 mois après la naissance | — | 1 |
|   — par période | 1 | — |
|   — pendant 3 mois | 2 | — |
|   — pendant les 4 derniers mois | 1 | — |
|   — pendant les 6 derniers mois | 1 | — |
|    Total | 8 | 4 |

13) La mère souhaitait retarder l'accouchement. Ce souhait était présent dans de multiples cas.

TABLEAU IV

## Signes d'« autisme » et d'« hyperactivité »
## Chez l'enfant de 0 à 9 mois

**Pendant la grossesse**

*Chez le bébé :*
Il fait mal à sa mère et bouge beaucoup.

*Chez la mère :*
Elle se montre agitée ou lasse. Elle manifeste des troubles de communication avec son bébé (voir tableau III).

**À la naissance**

— Le taux de naissances différées s'avère plus élevé chez ces enfants que dans la population en général.
— Dans le cas de prématurité le déficit se retrouve surtout du côté de « l'autisme ». Ceci s'explique par le déficit de communication qui se produit le soir dans les centres de prématurés à cause de la réduction du personnel.

**Pendant le premier mois de la vie, et après**

L'« hyperactif » démontre son agitation dès les premiers jours alors que l'« autiste » ne commence à réagir qu'au bout d'un mois.

*Chez la mère :*
L'état dépresso-symbiotique débute dès l'apparition des symptômes de l'enfant. Elle le voit comme un fardeau et se sent peu attirée par cet enfant qu'elle perçoit vide de sentiment (froid).
Elle a l'impression de moins l'aimer que ses autres enfants et que lui ne l'aime pas non plus.

*Chez le bébé :*
*1. Déficits corporels*
— *Troubles de digestion :* Il souffre habituellement de gaz, de coliques ou de vomissements.
— *Propreté :* Il ne pleure pas s'il est souillé.
— *Douleur :* Il ne force pas pour évacuer ses selles. Il se montre dur à la douleur.
— *Faim :* Il ne repousse pas le biberon pour dire qu'il a assez bu.
— *Température :* Il réagit peu au changement de température du bain.
— *Fatigue :* L'« autiste » ne se frotte pas les yeux ou le nez quand il est fatigué, alors que l'« hyperactif » ne se frotte pas les oreilles.

(Suite page suivante)

— *Agitation et absence de détente :* L'« autiste » se tient en flexion, crispé, raide et les mains fermées ; il peut sembler sourd puisqu'il ne réagit pas aux bruits.

L'« hyperactif » se tient tendu, en extension, agitant les bras et les jambes, avec ses mains ouvertes; il sursaute au moindre bruit.

— *Odeurs :* Il peut dégager des odeurs repoussantes (haleine, corps ou cheveux).

— *Cri :* Son cri est anormalement aigu et persistant.

2. *Déficits affectifs*

— *Émotions :* Il ne réagit pas en se collant ou en gazouillant lorsqu'on lui fait de gros yeux, qu'on gronde ou qu'on fait mine de pleurer. Il ne manifeste aucun désir (ne rouspète pas lorsque son mobile cesse de tourner ou de faire du bruit).

— *Rire :* Il ne rit pas devant les pitreries des autres enfants. Il ricane au lieu de rire. Il arbore un rictus plutôt qu'un sourire.

— *Yeux :* Il refuse de regarder sa mère dans les yeux, de lui sourire ou de lui parler, alors qu'il le fait avec d'autres personnes (surtout si elles ont communiqué avec lui intra-utéro).

— *Toucher :* Il ne pense pas à caresser la peau de sa mère.

— *Biberon :* Il se montre soit lent soit rapide. Il ne s'arrête jamais pour jouir de la vie en regardant autour de lui ou en étirant ce moment agréable.

— *Bain :* Il pleure lors du bain au lieu de s'amuser.

3. *Déficits intellectuels*

Il se montre indifférent et lunatique, car il ne sait pas s'amuser seul dans son berceau en essayant de saisir les objets autour de lui (son biberon ou son hochet).

— *Initiative :* Il ne participe pas aux activités quotidiennes et il rouspète. (Il ne s'aide pas dans les activités du bain ou d'habillage.) Il reste raide au lieu de tenir les jambes en l'air pendant qu'on lui change ses couches. Lorsqu'on le soulève, son corps reste mou et il laisse aller sa tête plutôt que de s'aider en se raidissant.

— *Langage :* Il ne gazouille pas, ne présente pas d'écholalie de geste ou de langage.

— *Absence de notion d'espace-temps :* C'est l'état symbiotique total et il ne semble heureux que dans les bras de sa mère ; l'« hyperactif » entouré et l'« autiste » au moins tenu par les doigts.

— *Voix :* Celle de sa mère ne lui suffit pas.

— *Insomnie :* Elle débute d'abord le jour puis s'étend à la nuit.

— *Biberons :* Il ne les signale pas comme une horloge et se montre plutôt imprévisible.

— *Bain :* Il ne manifeste pas le retard du bain par des rechignements ou son refus de dormir.

TABLEAU V

## Caractéristiques du bébé intra-utéro selon son profil*

| PROFIL VISUEL (hémisphère droit) | PROFIL AUDITIF (hémisphère gauche) |
|---|---|
| — Actif, il bouge le jour, peu actif le soir. | — Peu actif le jour, il bouge le soir. |
| — Réclame la communication le jour. | — Communique le soir lorsque la mère est plus disponible. |
| — Déjà l'être de l'instant. | — Déjà l'être d'un espace de temps. |
| — Absence de position privilégiée pour dormir la nuit. Il accepte sans réagir les changements de positions de la mère durant le sommeil de celle-ci, il ne la dérange pas. | — Il a une position privilégiée pour dormir. Il réagit violemment aux changements de positions de la mère et l'empêche fréquemment de dormir à son aise. |
| — Non claustrophobe. | — Claustrophobe. |
| — Réagit très peu devant la caresse ferme et forte. | — Réagit fortement à la caresse ferme et forte. |
| — Accepte les vêtements serrés de sa mère. | — N'accepte pas les vêtements serrés de sa mère. |
| — Prend peu d'espace intra-utéro. | — Prend beaucoup d'espace intra-utéro. |
| — Bouge peu si le père met sa main sur le ventre de la mère. | — Se met à bouger si le père appuie sa main sur le ventre de la mère. |
| — Réagit vivement aux bruits extérieurs (discothèque). | — Réagit peu aux bruits violents extérieurs et seulement temporairement. |

\* Extrait de **Êtes-vous auditif ou visuel ?** du Dr R. Lafontaine et B. Lessoil avec la collaboration de l'auteur, Les Nouvelles Éditions Marabout, Verviers (Belgique), 1984, reproduit avec la permission de l'éditeur.

## Comment interpréter les données des Tableaux VI à XVIII

Vous noterez que les nombres de patient(e)s présentant des symptômes bien spécifiques lors de l'évaluation semblent souvent ne pas correspondre au nombre total de cas traités.

Quatre cas — 3 auditifs et 1 visuel — ont abandonné le traitement après la première visite; pour fins de statistiques, ils ont été inclus parmi les cas de dépistage avant traitement. De même, il faut tenir compte qu'il a été assez souvent difficile, lors de la première rencontre avec l'enfant et ses parents, d'obtenir confirmation nette de la présence de l'un ou de l'autre des symptômes recherchés.

Dans certains cas, les déficits manifestes lors de l'évaluation n'ont pas été calculés parmi les corrections particulières obtenues grâce au traitement, parce qu'ils étaient reliés à des symptômes plus graves ou plus complexes.

Vous trouverez en page suivante un tableau à titre d'exemple d'interprétation.

## Légende des cas d'exception — Tableaux VI à XI

A. Fille prématurée autiste (auditive)

B. Visuel avec diktat de ne pas se laisser marcher sur les pieds

C. Visuel avec diktat de faire 3 choses à la fois

D. Visuel avec diktat de s'organiser seul

E. Visuel avec diktat de tout braver

**À titre d'exemple**

| DÉFICIT CORPOREL | PRÉSENT CHEZ LE PATIENT AVANT TRAITEMENT | | | | CORRIGÉ CHEZ LE PATIENT LORS DU TRAITEMENT | | | | CAS D'EXCEPTION OU COMMENTAIRE |
|---|---|---|---|---|---|---|---|---|---|
| | *Auditif* | *Visuel* | *Total* | *%* | *Auditif* | *Visuel* | *Total* | *%* | |
| Échappe les objets | 13/20 | 21/23 | 34/43 | 79,1 | 11/11 | 20/20 | 31/31 | 100 | Exceptions : 1 auditif avec diktat d'avoir peur de tout ; 1 visuel avec diktat de faire 3 choses à la fois |

Le tableau indique que 13 auditifs présentaient la même difficulté : échapper les objets.
De ces 13 cas, il faut soustraire celui d'un auditif ayant abandonné le traitement après la première visite des patient(e)s soumis(es) au traitement pour correction.
Il resterait donc 12 auditifs à traiter pour ce symptôme. Cependant, 1 des auditifs présentant ce symptôme (voir exceptions) n'a pas été considéré pour le traitement spécifique de ce problème, parce que dans son cas, ce problème faisait partie d'une autre déficience plus grave.
On constate qu'il y avait aussi un cas d'exception parmi les visuels.

**TABLEAU VI**

**Déficits corporels**

| DÉFICIT À REPÉRER | PRÉSENT CHEZ LE PATIENT AVANT TRAITEMENT | | | | CORRIGÉ CHEZ LE PATIENT LORS DU TRAITEMENT | | | | CAS D'EXCEPTION OU COMMENTAIRES |
|---|---|---|---|---|---|---|---|---|---|
| | Auditifs | Visuels | Total | % | Auditifs | Visuels | Total | % | |
| Communication par le toucher | 19/20 | 23/23 | 42/43 | 97,7 | 16/16 | 22/22 | 38/38 | 100 | Exception : A |
| Absence de notion de douleur | 20/20 | 23/23 | 43/43 | 100 | 17/17 | 22/22 | 39/39 | 100 | |
| Absence de notion de fatigue | 20/20 | 23/23 | 43/43 | 100 | 17/17 | 22/22 | 39/39 | 100 | |
| Regard fuyant | 20/20 | 21/23 | 41/43 | 95,3 | 17/17 | 21/21 | 39/39 | 100 | Exception : A, à l'extérieur de la maison |
| Absence de notion d'espace (ne peut s'éloigner seul) | 20/20 | 22/23 | 42/43 | 97,7 | 17/17 | 21/21 | 38/38 | 100 | Exception : B |
| Trouble de prononciation | 18/20 | 18/23 | 37/43 | 86 | 16/16 | 18/18 | 36/36 | 100 | Exceptions : A et 4 cas D |
| Blessure facile | 10/20 | 16/23 | 26/43 | 60,5 | 7/7 | 15/15 | 22/22 | 100 | Exceptions : C et 1 auditif avec diktat d'avoir peur de tout |
| Maladresse (échappe les objets) | 13/20 | 21/23 | 34/43 | 79,1 | 11/11 | 20/20 | 31/31 | 100 | Idem |
| Incoordination | 18/20 | 22/23 | 40/43 | 93 | 15/15 | 21/21 | 36/36 | 100 | Exceptions : A (normale à la maison, déficiente à l'école) et 1 visuel avec diktat d'être adulte |
| Motricité grossière déficiente | 17/20 | 22/23 | 39/43 | 90,7 | 15/15 | 21/21 | 36/36 | 100 | |

(Suite page suivante)

**TABLEAU VI (Suite)**

| DÉFICIT À REPÉRER | PRÉSENT CHEZ LE PATIENT AVANT TRAITEMENT | | | | CORRIGÉ CHEZ LE PATIENT LORS DU TRAITEMENT | | | | CAS D'EXCEPTION OU COMMENTAIRES |
|---|---|---|---|---|---|---|---|---|---|
| | Auditifs | Visuels | Total | % | Auditifs | Visuels | Total | % | |
| Motricité fine déficiente | 18/20 | 22/23 | 40/43 | 93 | 16/16 | 21/21 | 37/37 | 100 | Exception : C |
| Maigreur | 8/20 | 9/23 | 17/43 | 39,5 | | | | | 1 visuel devient obèse après le traitement |
| Obésité | 3/20 | 0/23 | 3/43 | 7 | | | | | 2 auditifs deviennent obèses après le traitement |
| Boulimie | 9/14 | 9/22 | 18/36 | 50 | | | | | Boit sans arrêt |
| Polydypsie (soif persistante) | 12/14 | 19/22 | 31/36 | 83,8 | | | | | |
| Ne suivent pas les lignes d'un dessin | 15/20 | 22/23 | 37/43 | 86,0 | 13/13 | 21/21 | 34/34 | 100 | Exceptions : C, 5 auditifs et 1 visuel trop jeunes |
| Phase olfactive | 17/19 | 21/23 | 38/42 | 90,5 | 14/14 | 20/20 | 34/34 | 100 | |
| Phase orale | 12/18 | 12/20 | 24/38 | 63,2 | 10/10 | 11/11 | 21/21 | 100 | |
| Phase auditive | 19/19 | 23/23 | 42/42 | 100 | 17/17 | 22/22 | 39/39 | 100 | |
| Phase visuelle | | | | | | | | | |
| Phase anale | — | 1/23 | 1/43 | 2,3 | — | 1/1 | 1/1 | 100 | Seulement chez C. Disparition chez l'enfant à 11½ ans avec diktat d'insensibilité et à 14 ans chez l'enfant séquestré. |

(Suite page suivante)

**TABLEAU VI (Suite)**

| DÉFICIT À REPÉRER | PRÉSENT CHEZ LE PATIENT AVANT TRAITEMENT | | | | CORRIGÉ CHEZ LE PATIENT LORS DU TRAITEMENT | | | | CAS D'EXCEPTION OU COMMENTAIRE |
|---|---|---|---|---|---|---|---|---|---|
| | Auditifs | Visuels | Total | % | Auditifs | Visuels | Total | % | |
| Non-volubilité | 17/17 | 23/23 | 40/40 | 100 | 17/17 | 22/22 | 39/39 | 100 | |
| Grimpeur avant l'adolescence | 18/20 | 22/23 | 40/43 | 93 | 16/16 | 21/21 | 37/37 | 100 | Exceptions : 3 non-grimpeurs craintifs et 3 autres, plus ou moins |
| Incapacité à rester à table | 16/19 | 22/23 | 38/42 | 90,5 | 16/16 | 22/22 | 38/38 | 100 | Exception : A |
| Agitation, mouvement perpétuel | 16/20 | 23/23 | 39/43 | 90,7 | 13/13 | 22/22 | 35/35 | 100 | Exceptions : 4 auditifs craintifs |
| Insomnie | 16/20 | 18/23 | 34/43 | 79,1 | 13/13 | 17/17 | 30/30 | 100 | |
| Hypotonie | 20/20 | 0/23 | 20/43 | 46,5 | 17/17 | 0/0 | 17/17 | 100 | Définition : mou, faible, encercleur |
| Hypertonie | 0/20 | 23/23 | 23/43 | 53,5 | — | 22/22 | 22/22 | 100 | Définition : dur, fort, pulseur |
| Lassitude | 19/20 | 19/22 | 38/42 | 90,5 | 16/16 | 19/19 | 35/35 | 100 | Exceptions : 1 visuel et 1 auditif peureux |
| Absence de fermeté dans la voix | 18/19 | 19/22 | 37/41 | 90,2 | 16/16 | 19/19 | 35/35 | 100 | Exceptions : 3 visuels et 1 auditif avec diktat de ne pas se laisser marcher sur les pieds |
| Voix saccadée | 19/19 | 22/22 | 41/41 | 100 | 17/17 | 22/22 | 39/39 | 100 | Voix robotique |

TABLEAU VI (**Suite**)

| DÉFICIT À REPÉRER | PRÉSENT CHEZ LE PATIENT AVANT TRAITEMENT | | | | CORRIGÉ CHEZ LE PATIENT LORS DU TRAITEMENT | | | | CAS D'EXCEPTION OU COMMENTAIRES |
|---|---|---|---|---|---|---|---|---|---|
| | Auditifs | Visuels | Total | % | Auditifs | Visuels | Total | % | |
| Ricanement | 16/17 | 21/22 | 37/39 | 94,9 | 16/16 | 21/21 | 37/37 | 100 | Exceptions : A et D |
| Balancement de la tête et du corps | 7/19 | 9/23 | 16/42 | 38,1 | 7/7 | 8/8 | 15/15 | 100 | Chez 5 de ces enfants, les manifestations avaient disparu avant le traitement. |
| Absence de notion de propreté | 16/18 | 21/23 | 37/41 | 90,2 | 14/14 | 20/20 | 34/34 | 100 | Exceptions : A, D, 1 autiste profond et 1 visuel avec diktat d'être adulte |

NOTA : 3 auditifs + 1 visuel ont abandonné le traitement après la première visite.

217

**TABLEAU VII**

**Déficits affectifs**

| DÉFICIT À REPÉRER | PRÉSENT CHEZ LE PATIENT AVANT TRAITEMENT | | | | CORRIGÉ CHEZ LE PATIENT LORS DU TRAITEMENT | | | | CAS D'EXCEPTION OU COMMENTAIRES |
|---|---|---|---|---|---|---|---|---|---|
| | Auditifs | Visuels | Total | % | Auditifs | Visuels | Total | % | |
| Peurs irraisonnées | 20/20 | 22/23 | 42/43 | 97,7 | 17/17 | 21/21 | 38/38 | 100 | Exception : E |
| Cauchemars | 13/20 | 21/23 | 34/43 | 79,1 | 10/10 | 20/20 | 30/30 | 100 | |
| Violence ou réaction anormale | 12/20 | 14/23 | 26/43 | 55,8 | 9/9 | 13/13 | 22/22 | 100 | |
| Mécontentement perpétuel | 19/19 | 23/23 | 42/43 | 97,7 | 16/16 | 22/22 | 38/38 | 100 | |

NOTA : 3 auditifs et 1 visuel ont abandonné le traitement après la première visite.

**TABLEAU VIII**

**Déficits intellectuels**

| DÉFICIT À REPÉRER | PRÉSENT CHEZ LE PATIENT AVANT TRAITEMENT | | | | CORRIGÉ CHEZ LE PATIENT LORS DU TRAITEMENT | | | | CAS D'EXCEPTION OU COMMENTAIRES |
|---|---|---|---|---|---|---|---|---|---|
| | Auditifs | Visuels | Total | % | Auditifs | Visuels | Total | % | |
| Confusion mentale (mêlés dans la tête) | 8/13 | 16/22 | 24/35 | 68,5 | 8/8 | 16/16 | 24/24 | 100 | Exceptions : C. 4 visuels et 5 auditifs trop jeunes |
| Absence de langage logique, structuré | 20/20 | 22/23 | 42/43 | 97,7 | 17/17 | 21/21 | 38/38 | 100 | Exceptions : A et C |
| Passivité mentale excessive | 19/19 | 22/23 | 41/42 | 97,6 | 17/17 | 21/21 | 38/38 | 100 | Exceptions : A, plus ou moins C et 2 cas B |
| Mauvais résultats scolaires | 13/19 | 13/23 | 26/42 | 61,9 | 12/12 | 12/12 | 24/24 | 100 | Exceptions : 6 visuels et 5 auditifs non scolarisés. 4 visuels et 1 auditif présentent une amélioration après le traitement (ceux avec diktat d'être autonomes ou de prendre soin d'autrui). |

NOTA : 3 auditifs et 1 visuel ont abandonné le traitement après la première visite.

**TABLEAU IX**

**Déficits socio-corporels**

| DÉFICIT À REPÉRER | PRÉSENT CHEZ LE PATIENT AVANT TRAITEMENT | | | | CORRIGÉ CHEZ LE PATIENT LORS DU TRAITEMENT | | | | CAS D'EXCEPTION OU COMMENTAIRES |
|---|---|---|---|---|---|---|---|---|---|
| | Auditifs | Visuels | Total | % | Auditifs | Visuels | Total | % | |
| Refus des sports de groupe | 20/20 | 23/23 | 43/43 | 100 | 17/17 | 22/22 | 39/39 | 100 | |
| Réactions anormales à l'école | 11/15 | 12/21 | 23/36 | 63,9 | 10/10 | 12/12 | 22/22 | 100 | Exceptions : 2 visuels et 5 auditifs trop jeunes |
| Bagarres avec les enfants | 8/19 | 8/23 | 16/42 | 38,1 | 8/8 | 8/8 | 16/16 | 100 | 8 autres enfants se battent après le début du traitement, mais uniquement pour se défendre |
| Retrait ou agitation ailleurs que chez lui | 20/20 | 22/23 | 42/43 | 97,7 | 17/17 | 21/21 | 38/38 | 100 | Exception : E |
| Absence de notion de propriété | 11/20 | 19/23 | 30/43 | 69,8 | 9/9 | 18/18 | 27/27 | 100 | En général, l'auditif a un sens plus aigu de la propriété; on trouve cette caractéristique chez 9 de ceux-ci avant le traitement (maniérisme) |
| Absence d'agaceries | 20/20 | 21/23 | 41/43 | 95,3 | 17/17 | 20/20 | 37/37 | 100 | Exceptions : A et 2 visuels avec diktat d'être durs |

**TABLEAU IX (Suite)**

| DÉFICIT À REPÉRER | PRÉSENT CHEZ LE PATIENT AVANT TRAITEMENT | | | | CORRIGÉ CHEZ LE PATIENT LORS DU TRAITEMENT | | | | CAS D'EXCEPTION OU COMMENTAIRES |
|---|---|---|---|---|---|---|---|---|---|
| | Auditifs | Visuels | Total | % | Auditifs | Visuels | Total | % | |
| Agressivité physique envers : | | | | | | | | | |
| la mère | 8/17 | 11/23 | 19/40 | 47,5 | 7/7 | 10/10 | 17/17 | 100 | |
| le père | 4/17 | 9/23 | 13/30 | 43,3 | 3/3 | 8/8 | 11/11 | 100 | |
| les enfants | 12/17 | 10/20 | 22/27 | 81,5 | 12/12 | 9/9 | 21/21 | 100 | |
| les étrangers | 7/17 | 6/20 | 13/27 | 48,1 | 5/5 | 5/5 | 10/10 | 100 | |
| Agitation ou retrait : (n'accepte pas que les personnes suivantes s'approchent de sa mère :) | | | | | | | | | |
| les enfants | 19/20 | 21/23 | 40/43 | 95,3 | 17/17 | 20/20 | 37/37 | 100 | Exceptions : 1 visuel avec peur de se blesser et 1 visuel avec diktat d'autonomie |
| les amis | 17/18 | 22/23 | 39/41 | 95,1 | 16/16 | 21/21 | 37/37 | 100 | Exceptions : 1 visuel avec diktat d'insensibilité de même que 2 auditifs et 1 visuel dont la mère ne s'occupe pas des enfants de peur de les blesser |
| les étrangers | 17/19 | 22/23 | 39/42 | 92,9 | 16/16 | 21/21 | 37/37 | 100 | Exceptions : 2 autistes profonds et 1 visuel avec diktat d'insensibilité. |

NOTA : 3 auditifs et 1 visuel ont abandonné le traitement après la première visite.

221

**TABLEAU X**

**Déficits socio-affectifs**

| DÉFICIT À REPÉRER | PRÉSENT CHEZ LE PATIENT AVANT TRAITEMENT | | | | CORRIGÉ CHEZ LE PATIENT LORS DU TRAITEMENT | | | | CAS D'EXCEPTION OU COMMENTAIRES |
|---|---|---|---|---|---|---|---|---|---|
| | Auditifs | Visuels | total | % | Auditifs | Visuels | Total | % | |
| Odeurs repoussantes (corps, haleine ou cheveux) | 14/20 | 17/23 | 31/43 | 72,1 | 13/13 | 16/16 | 29/29 | 100 | Absence d'odeurs lorsque l'enfant présente un déficit profond |
| Incapacité à exprimer ses émotions | 20/20 | 22/23 | 42/43 | 97,7 | 17/17 | 21/21 | 38/38 | 100 | Exception : B (il ne dit que le négatif) |
| Refus d'aider ou de participer (empathie) | 19/20 | 21/22 | 40/42 | 95,2 | 16/16 | 20/20 | 36/36 | 100 | Exception : A (chez elle seulement) |
| Absence de prévenance | 19/20 | 21/23 | 40/43 | 93,0 | 16/17 | 20/20 | 36/37 | 97,3 | Exception : A (chez elle seulement). 2 cas B (ils obéissent au message inverse) ; ils accroissent leur prévenance après le traitement |
| Absence de compassion | 20/20 | 21/23 | 41/43 | 95,3 | 17/17 | 20/20 | 37/37 | 100 | Exceptions: A et C |
| Déni de l'amour de la mère | 9/19 | 17/23 | 28/42 | 65,1 | 6/6 | 16/16 | 22/22 | 100 | Exceptions : A ; aussi chez les enfants pris comme confidents ; ou si la mère est malheureuse ; chez 3 auditifs trop jeunes et un autiste profond |

TABLEAU X (Suite)

| DÉFICIT À REPÉRER | PRÉSENT CHEZ LE PATIENT AVANT TRAITEMENT | | | | CORRIGÉ CHEZ LE PATIENT LORS DU TRAITEMENT | | | | CAS D'EXCEPTION OU COMMENTAIRES |
|---|---|---|---|---|---|---|---|---|---|
| | Auditifs | Visuels | Total | % | Auditifs | Visuels | Total | % | |
| Présence de la mère exigée au coucher | 20/20 | 21/23 | 41/43 | 95,3 | 17/17 | 20/20 | 37/37 | 100 | Exceptions : 2 visuels avec diktat d'être autonomes. Disparaît dès le premier mois de traitement |
| Incapacité à raconter les rêves | 15/15 | 22/22 | 37/37 | 100 | 12/12 | 21/21 | 33/33 | 100 | Exceptions : 1 visuel et 5 auditifs trop jeunes |
| Agitation en classe | 11/13 | 19/19 | 30/32 | 93,7 | 10/10 | 18/18 | 28/28 | 100 | Exceptions : 5 auditifs et 4 visuels trop jeunes ; 2 plus âgés qui ne vont plus à l'école |
| Imagination pour faire des bêtises | 5/20 | 13/23 | 18/43 | 41,9 | | | | | L'enfant a encore envie de faire des bêtises, mais cette fois en toute connaissance de cause après le traitement |
| Haine contre l'école | 11/12 | 18/19 | 29/31 | 93,5 | 11/11 | 18/18 | 29/29 | 100 | Exceptions : 4 visuels et 5 auditifs trop jeunes ou trop vieux |

(Suite page suivante)

223

**TABLEAU x (Suite)**

| DÉFICIT À REPÉRER | PRÉSENT CHEZ LE PATIENT AVANT TRAITEMENT | | | | CORRIGÉ CHEZ LE PATIENT LORS DU TRAITEMENT | | | | CAS D'EXCEPTION OU COMMENTAIRES |
|---|---|---|---|---|---|---|---|---|---|
| | Auditifs | Visuels | Total | % | Auditifs | Visuels | Total | % | |
| Mutisme envers la mère | 16/20 | 21/23 | 37/43 | 86 | 13/13 | 21/21 | 34/34 | 100 | Exceptions : A, 1 visuel pris comme confident, 1 visuel avec diktat de peur, son frère E et 2 auditifs (de moins de 2 ans) qui tentent de communiquer |
| Exigences sans réciprocité | 18/19 | 21/23 | 39/42 | 92,9 | 16/16 | 21/21 | 37/37 | 100 | Exceptions : 2 visuels et 1 auditif craintifs |
| Agressivité verbale envers: | | | | | | | | | |
| la mère | 13/18 | 18/23 | 31/41 | 75,6 | 11/11 | 18/18 | 29/29 | 100 | |
| le père | 8/18 | 16/23 | 24/41 | 58,6 | 6/6 | 15/15 | 21/21 | 100 | |
| les étrangers | 10/18 | 7/23 | 17/41 | 41,5 | 9/9 | 6/6 | 15/15 | 100 | Exceptions : B ; aussi dans le cas de père violent, etc. |
| Amour pour les enfants de moins de 7 ans | 14/18 | 14/23 | 28/41 | 68,3 | | | | | |
| Refus de parler : aux voisins | 17/17 | 22/23 | 39/40 | 97,5 | 17/17 | 22/22 | 39/39 | 100 | Chez E, qui a toujours parlé aux voisins, l'effet du traitement améliore encore la situation |
| aux enfants | 17/17 | 22/23 | 39/40 | 97,5 | 17/17 | 22/22 | 39/39 | 100 | *Idem* |

**TABLEAU X (Suite)**

| DÉFICIT À REPÉRER | PRÉSENT CHEZ LE PATIENT AVANT TRAITEMENT | | | | CORRIGÉ CHEZ LE PATIENT LORS DU TRAITEMENT | | | | CAS D'EXCEPTION OU COMMENTAIRES |
|---|---|---|---|---|---|---|---|---|---|
| | Auditifs | Visuels | Total | % | Auditifs | Visuels | Total | % | |
| Refus de participer à la maison | 18/19 | 22/23 | 40/42 | 95,2 | 16/16 | 21/21 | 37/37 | 100 | Exceptions : A (à la maison uniquement) et C |
| Non-acceptation d'une erreur ou d'une réprimande | 18/19 | 23/23 | 41/42 | 97,6 | 16/16 | 22/22 | 38/38 | 100 | |
| Absence du sens du pardon | 19/19 | 23/23 | 42/42 | 100 | 17/17 | 22/22 | 39/39 | 100 | Exceptions : plus ou moins chez 2 cas E, et A (chez elle) |
| Absence de taquinerie | 16/16 | 23/23 | 39/39 | 100 | 16/16 | 22/22 | 38/38 | 100 | Exception : A (chez elle) |
| Peur : de la mère | 3/18 | 3/22 | 6/40 | 15 | 3/3 | 3/3 | 6/6 | 100 | Exception : 2 cas B ; se produit aussi chez 5 mères sur 6 atteintes de frustrations |
| du père | 6/16 | 1/16 | 7/32 | 21,9 | 5/5 | 1/1 | 6/6 | 100 | A se retire |
| des enfants | 8/18 | 5/22 | 13/40 | 32,5 | 7/7 | 4/4 | 11/11 | 100 | Exceptions : A (chez elle), 3 enfants pris comme confidents, 2 avec diktat de peur, 2 avec diktat de se défendre |
| des adultes | 12/18 | 15/23 | 27/41 | 65,9 | 10/10 | 16/16 | 26/26 | 100 | Exception : A (chez elle) |

NOTA : 3 auditifs et 1 visuel ont abandonné le traitement après la première visite

TABLEAU XI

**Déficits socio-intellectuels**

| DÉFICIT À REPÉRER | PRÉSENT CHEZ LE PATIENT AVANT TRAITEMENT | | | | CORRIGÉ CHEZ LE PATIENT LORS DU TRAITEMENT | | | | CAS D'EXCEPTION OU COMMENTAIRES |
|---|---|---|---|---|---|---|---|---|---|
| | Auditifs | Visuels | Total | % | Auditifs | Visuels | Total | % | |
| Refus des activités scolaires de groupe | 15/15 | 21/21 | 36/36 | 100 | 15/15 | 21/21 | 36/36 | 100 | Exceptions : 7 enfants trop jeunes |
| Verbalisation de : « tu répètes toujours la même chose » | 9/13 | 18/22 | 31/35 | 88,6 | 9/9 | 17/17 | 26/26 | 100 | Exceptions : 4 auditifs trop jeunes |
| Absence de référence à l'adulte devant l'incapacité à accomplir ou à comprendre une tâche | 19/19 | 22/23 | 41/42 | 97,6 | 17/17 | 21/21 | 38/38 | 100 | Exception : D |
| Rotation du corps sur lui-même en réaction à un ordre | 5/17 | 6/23 | 11/40 | 27,5 | 5/5 | 6/6 | 11/11 | 100 | |
| Absence de fabulation | 14/17 | 17/23 | 31/40 | 77,5 | 12/12 | 16/16 | 28/28 | 100 | Exceptions : 5 cas D, 1 visuel et 3 auditifs trop jeunes ; 2 auditifs fabulent avant le traitement |

TABLEAU XI (Suite)

| DÉFICIT À REPÉRER | PRÉSENT CHEZ LE PATIENT AVANT TRAITEMENT | | | | CORRIGÉ CHEZ LE PATIENT LORS DU TRAITEMENT | | | | CAS D'EXCEPTION OU COMMENTAIRES |
|---|---|---|---|---|---|---|---|---|---|
| | Auditifs | Visuels | Total | % | Auditifs | Visuels | Total | % | |
| Absence d'humour | 20/20 | 23/23 | 43/43 | 100 | 17/17 | 22/22 | 39/39 | 100 | |
| Absence de notion de mensonge | 14/15 | 21/22 | 35/37 | 94,6 | 12/12 | 20/20 | 32/32 | 100 | Exceptions : C et 4 auditifs trop jeunes |
| Refus d'échanger des idées | 19/19 | 22/23 | 41/42 | 97,6 | 17/17 | 21/21 | 38/38 | 100 | Exceptions : C quand il y a absence d'émotivité ; 2 cas B et A (à la maison) |
| Interrogations successives sans attente de réponses | 19/19 | 22/23 | 41/42 | 97,6 | 17/17 | 21/21 | 38/38 | 100 | Exceptions : A (à la maison) et C |
| Écholalie | 16/18 | 14/21 | 30/39 | 77 | 15/15 | 14/14 | 29/29 | 100 | |

NOTA : 3 auditifs et 1 visuel ont abandonné le traitement après la première visite.

## TABLEAU XII

### Déficits affectant simultanément les trois niveaux

| DÉFICIT À REPÉRER | PRÉSENT CHEZ LE PATIENT AVANT TRAITEMENT | | | | CORRIGÉ CHEZ LE PATIENT LORS DU TRAITEMENT | | | | CAS D'EXCEPTION OU COMMENTAIRES |
|---|---|---|---|---|---|---|---|---|---|
| | Auditifs | Visuels | Total | % | Auditifs | Visuels | Total | % | |
| Absence de concentration | 19/19 | 22/23 | 41/42 | 97,6 | 17/17 | 21/21 | 38/38 | 100 | Exception : C |
| Absence d'intérêt pour : fonctions des choses | 19/19 | 22/23 | 41/42 | 97,6 | 17/17 | 21/21 | 38/38 | 100 | Exception : C |
| actes des autres | 19/19 | 22/23 | 41/42 | 97,6 | 17/17 | 21/21 | 38/38 | 100 | Idem |
| Absence d'orgueil | 16/17 | 23/23 | 39/40 | 97,5 | 16/17 | 22/22 | 38/39 | 97,4 | Exception : 1 auditif dont le père était violent |
| Absence de chantage | 14/14 | 19/20 | 33/34 | 97,1 | 14/14 | 19/19 | 33/33 | 100 | Exceptions : C et les enfants trop jeunes |
| Incapacité à se concentrer avec persévérance sur la télévision | 18/19 | 22/23 | 40/42 | 95,2 | 16/16 | 21/21 | 37/37 | 100 | Exception : 1 autiste trop jeune |
| Absence de patience | 17/17 | 23/23 | 40/40 | 100 | 17/17 | 22/22 | 39/39 | 100 | |
| Absence d'autonomie | 20/20 | 23/23 | 43/43 | 100 | 17/17 | 22/22 | 39/39 | 100 | 2 visuels n'étaient que plus ou moins affectés car ils avaient reçu le message d'être autonome |

**TABLEAU XII (Suite)**

| DÉFICIT À REPÉRER | PRÉSENT CHEZ LE PATIENT AVANT TRAITEMENT | | | | CORRIGÉ CHEZ LE PATIENT LORS DU TRAITEMENT | | | | CAS D'EXCEPTION OU COMMENTAIRES |
|---|---|---|---|---|---|---|---|---|---|
| | Auditifs | Visuels | Total | % | Auditifs | Visuels | Total | % | |
| Absence de confiance en soi | 20/20 | 23/23 | 43/43 | 100 | 17/17 | 22/22 | 39/39 | 100 | 2 cas E étaient légèrement affectés ainsi que A (à la maison) |
| Absence de désir d'imitation | 18/20 | 21/23 | 39/43 | 90,7 | 15/17 | 20/22 | 35/39 | 89,7 | Exceptions : C imite intellectuellement ; B imite corporellement ; 2 auditifs très jeunes (18 mois et 8½ mois) sont légèrement affectés (la mère fait du dressage) |
| Recherche de l'amitié | 20/20 | 22/23 | 42/43 | 97,7 | 17/17 | 21/21 | 38/38 | 100 | Exception : B |
| Comportement lunatique | 20/20 | 19/23 | 39/43 | 90,7 | 17/17 | 18/18 | 35/35 | 100 | Exceptions : 1 avec ordre d'obéissance. 1 avec peur d'être agressé et 2 cas D |
| Absence de sens critique (vrai faux danger) | 19/19 | 22/23 | 41/42 | 97,6 | 17/17 | 21/21 | 38/38 | 100 | Exceptions : A (à la maison) et C |
| Absence d'initiative | 19/19 | 22/23 | 41/42 | 97,6 | 17/17 | 21/21 | 38/38 | 100 | Exceptions : A (en dehors de la maison) et C |
| Incapacité à terminer un travail ou une tâche | 19/19 | 22/23 | 41/42 | 97,6 | 17/17 | 21/21 | 38/38 | 100 | *Idem* |

**TABLEAU XII (Suite)**

| DÉFICIT À REPÉRER | PRÉSENT CHEZ LE PATIENT AVANT TRAITEMENT | | | | CORRIGÉ CHEZ LE PATIENT LORS DU TRAITEMENT | | | | CAS D'EXCEPTION OU COMMENTAIRES |
|---|---|---|---|---|---|---|---|---|---|
| | Auditifs | Visuels | Total | % | Auditifs | Visuels | Total | % | |
| Incapacité à s'organiser | 19/19 | 22/23 | 41/42 | 97,6 | 17/17 | 21/21 | 38/38 | 100 | *Idem* |
| Absence d'imagination et d'esprit créatif | 19/19 | 22/23 | 41/42 | 97,6 | 17/17 | 21/21 | 38/38 | 100 | *Idem* |
| Absence de pouvoir d'analyse situationnelle | 19/19 | 22/23 | 41/42 | 97,6 | 17/17 | 21/21 | 38/38 | 100 | Exceptions : A (à la maison uniquement), 2 cas B, et C plus ou moins affecté tant qu'il y a absence de contenu émotif |
| Répétition de : « attends une minute » | 16/19 | 22/23 | 38/42 | 90,5 | 14/14 | 21/21 | 35/35 | 100 | Exceptions : 1 visuel et 3 auditifs trop jeunes pour le dire |
| Absence de notion de temps | 14/20 | 22/23 | 36/43 | 83,7 | 11/11 | 21/21 | 32/32 | 100 | |
| Réactions imprévisibles | 19/20 | 22/23 | 41/43 | 95,3 | 16/16 | 21/21 | 37/37 | 100 | Exception : A (à la maison) |
| Insécurité | 20/20 | 23/23 | 43/43 | 100 | 17/17 | 22/22 | 39/39 | 100 | |
| Absence de désir | 19/20 | 23/23 | 42/43 | 97,7 | 16/16 | 21/21 | 37/37 | 100 | Exception : B, de même que A (à la maison) |

**TABLEAU XII (Suite)**

| DÉFICIT À REPÉRER | PRÉSENT CHEZ LE PATIENT AVANT TRAITEMENT | | | | CORRIGÉ CHEZ LE PATIENT LORS DU TRAITEMENT | | | | CAS D'EXCEPTION OU COMMENTAIRES |
|---|---|---|---|---|---|---|---|---|---|
| | Auditifs | Visuels | Total | % | Auditifs | Visuels | Total | % | |
| Réaction aux ordres : passivité | 14/19 | 11/23 | 25/42 | 59,5 | 11/11 | 10/10 | 21/21 | 100 | Les totaux des réactions agressives et passives donnent 100% |
| agressivité | 9/19 | 12/23 | 21/42 | 50 | 7/7 | 12/12 | 19/19 | 100 | |
| Insistance sur la « bonne » manière de faire les choses | 18/19 | 22/23 | 40/42 | 95,2 | 16/16 | 21/21 | 37/37 | 100 | Exception : 1 auditif super-peureux (il faisait le contraire au début du traitement) |
| Communication verbale exigée de la part de la mère | 5/17 | 17/23 | 22/40 | 55 | 5/5 | 16/16 | 21/21 | 100 | |
| Mémoire déficiente | 16/19 | 21/23 | 37/42 | 88,1 | 16/17 | 20/20 | 36/37 | 97,3 | Exceptions : 3 cas D et 1 auditif avec diktat de s'organiser seul Augmente après le traitement chez 3 visuels et 4 auditifs plus ou moins affectés avant |
| Jeux avec des enfants plus jeunes | 14/19 | 20/23 | 34/42 | 81 | 12/12 | 19/19 | 31/31 | 100 | Exceptions : A (à la maison) et 2 autistes profonds se retirent (Suite page suivante) |

231

**TABLEAU XII (Suite)**

| DÉFICIT À REPÉRER | PRÉSENT CHEZ LE PATIENT AVANT TRAITEMENT | | | | CORRIGÉ CHEZ LE PATIENT LORS DU TRAITEMENT | | | | CAS D'EXCEPTION OU COMMENTAIRES |
|---|---|---|---|---|---|---|---|---|---|
| | Auditifs | Visuels | Total | % | Auditifs | Visuels | Total | % | |
| Jeux avec des enfants plus vieux | 0/19 | 6/23 | 6/42 | 14,3 | 0/0 | 5/5 | 5/5 | 100 | Exception ; A (à la maison) Remarque : Les 5 visuels traités avec succès pour ce symptôme n'ont pas d'aînés |
| Médication (Haldol : 1 ; Ritaline : 9) | 2/20 | 8/23 | 10/43 | 23,3 | 2/2 | 8/8 | 10/10 | 100 | La Ritaline ralentit l'enfant et favorise ainsi le dressage. L'hyperactivité diminue très rapidement (il faut arrêter la médication après quelques mois, sauf pour un). |
| Impression de dressage par la mère | 17/17 | 21/22 | 38/39 | 97,3 | 17/17 | 21/21 | 38/38 | 100 | |

NOTA : 3 auditifs et 1 visuel ont abandonné le traitement après la première visite.

**TABLEAU XIII**

**Déficits divers**

| DÉFICIT À REPÉRER | PRÉSENT CHEZ LE PATIENT AVANT TRAITEMENT | | | | CORRIGÉ CHEZ LE PATIENT LORS DU TRAITEMENT | | | | CAS D'EXCEPTION OU COMMENTAIRES |
|---|---|---|---|---|---|---|---|---|---|
| | Auditifs | Visuels | Total | % | Auditifs | Visuels | Total | % | |
| **CORPOREL-OBJECTAL** | | | | | | | | | |
| • Effet calmant de certains bruits | 17/18 | 19/22 | 36/40 | 90 | 9/9 | 19/19 | 28/28 | 100 | Ces bruits peuvent être : moteur d'auto, aspirateur, musique, bruits d'eau |
| • Absence du sens de l'ordre | 12/20 | 20/23 | 32/43 | 74,4 | | | | | |
| **SOCIO-OBJECTAL** | | | | | | | | | |
| • Bris des objets de sa mère | 6/20 | 6/23 | 12/43 | 27,9 | 5/5 | 6/6 | 11/11 | 100 | |
| • Intérêt limité aux messages publicitaires télévisés | 14/18 | 22/23 | 36/41 | 87,8 | 12/12 | 21/22 | 33/33 | 100 | 3 auditifs manifestent de l'indifférence |
| • Verbalisation dirigée vers les objets | 11/16 | 13/22 | 24/38 | 63,2 | 11/11 | 12/12 | 23/23 | 100 | 2 enfants parlent aux objets durant le traitement (« appel au secours ») |
| **INTELLECTUEL-OBJECTAL** | | | | | | | | | |
| • Incapacité à utiliser les jouets | 18/20 | 21/23 | 39/43 | 90,7 | 15/15 | 20/20 | 35/35 | 100 | |

(Suite page suivante)

233

**TABLEAU XIII (Suite)**

| DÉFICIT À REPÉRER | PRÉSENT CHEZ LE PATIENT AVANT TRAITEMENT | | | | CORRIGÉ CHEZ LE PATIENT LORS DU TRAITEMENT | | | | CAS D'EXCEPTION OU COMMENTAIRES |
|---|---|---|---|---|---|---|---|---|---|
| | Auditifs | Visuels | Total | % | Auditifs | Visuels | Total | % | |
| **AFFECTIF-OBJECTAL** | | | | | | | | | |
| • Désire tout mais ne sait ce qu'il veut | 18/20 | 22/23 | 40/43 | 93 | 15/15 | 21/21 | 36/36 | 100 | Exceptions : 1 auditif peureux, A (à la maison) et E |
| • Absence de désir de possession | 16/17 | 22/23 | 38/40 | 95 | 16/16 | 21/21 | 37/37 | 100 | Exception : D |
| **AFFECTIF-OBJECTAL ANIMÉ** | | | | | | | | | |
| • Cauchemars (attaqué par araignée, insectes) | 6/7 | 13/13 | 19/20 | 95 | 6/6 | 13/13 | 19/19 | 100 | Exceptions : 5 visuels et 4 auditifs trop jeunes ; 5 visuels et 8 auditifs qui ne savent répondre adéquatement au questionnaire d'évaluation |
| **D'ORDRE SUPÉRIEUR** | | | | | | | | | |
| • Intérêt pour la musique | 17/20 | 18/23 | 35/43 | 81,4 | | | | | Tous s'y intéressent après le traitement |
| • Utilisation d'une couleur unique pour dessiner | 11/12 | 20/22 | 31/34 | 91,2 | 11/11 | 19/19 | 30/30 | 100 | Exceptions : C et 4 auditifs trop jeunes. |

NOTA : 3 auditifs et 1 visuel ont abandonné le traitement après la première visite.

TABLEAU XIV

## Manifestation d'appels

| DÉFICIT À REPÉRER | PRÉSENT CHEZ LE PATIENT AVANT TRAITEMENT | | | | CORRIGÉ CHEZ LE PATIENT LORS DU TRAITEMENT | | | | CAS D'EXCEPTION OU COMMENTAIRES |
|---|---|---|---|---|---|---|---|---|---|
| | Auditifs | Visuels | Total | % | Auditifs | Visuels | Total | % | |
| ABSENCE DES APPELS | | | | | | | | | |
| • à la mère | 20/20 | 23/23 | 43/43 | 100 | 17/17 | 22/22 | 39/39 | 100 | |
| • au complément | 20/20 | 23/23 | 43/43 | 100 | 17/17 | 22/22 | 39/39 | 100 | |
| • aux jeux | 20/20 | 23/23 | 43/43 | 100 | 17/17 | 22/22 | 39/39 | 100 | |
| • à l'amitié | 20/20 | 23/23 | 43/43 | 100 | 17/17 | 22/22 | 39/39 | 100 | |
| • au sexe | 20/20 | 23/23 | 43/43 | 100 | 10/17 | 18/22 | 28/39 | 71,8 | Exceptions : 4 auditifs et 4 visuels trop jeunes ; 3 auditifs dont le traitement n'est pas assez avancé |

NOTA : 3 auditifs et 1 visuel ont abandonné le traitement après la première visite.

**TABLEAU XV**

**Écueils au traitement**

| À REPÉRER | PRÉSENT DANS LE CAS DU PATIENT AVANT TRAITEMENT | | | | CORRIGÉ AU COURS DU TRAITEMENT | | | |
|---|---|---|---|---|---|---|---|---|
| | Auditifs | Visuels | Total | % | Auditifs | Visuels | Total | % |
| **DÉVALORISATION MATERNELLE** | | | | | | | | |
| • Corporelle | 11/15 | 12/23 | 23/38 | 63.1 | 10/10 | 11/11 | 21/21 | 100 |
| • Affective | 7/15 | 8/23 | 15/38 | 39.5 | 7/7 | 7/7 | 14/14 | 100 |
| • Intellectuelle | 1/15 | 3/22 | 4/37 | 10.8 | 1/1 | 3/3 | 4/4 | 100 |
| **DÉVALORISATION PATERNELLE** | | | | | | | | |
| • Corporelle | 0/14 | 0/20 | 0/34 | — | | | | |
| • Affective | 4/14 | 5/20 | 9/34 | 26.5 | 4/4 | 5/5 | 9/9 | 100 |
| • Intellectuelle | 8/14 | 6/20 | 14/34 | 41.2 | 8/8 | 6/6 | 14/14 | 100 |
| **DÉPRESSION PRÉNATALE** | 8/18 | 4/23 | 12/41 | 29.3 | 8/8 | 4/4 | 12/12 | 100 |

**TABLEAU XV (Suite)**

**Écueils au traitement**

AUTRES DÉVALORISATIONS PARENTALES

À REPÉRER ET CORRIGER

- Permissivité
- Agressivité ou violence
- Sadomasochisme
- État dépressif
- Domination
- Bouffonnerie
- Infantilisme
- Narcissisme profond
- Maladie chronique ou débilitante
- Âge avancé
- Femme victime d'inceste ou battue avant l'âge adulte

**TABLEAU XVI**

**État dépresso-symbiotique de la mère**

| SYMPTÔMES | PRÉSENT DANS LE CAS DU PATIENT AVANT TRAITEMENT | | | | CORRIGÉ AU COURS DU TRAITEMENT | | | | COMMENTAIRES |
|---|---|---|---|---|---|---|---|---|---|
| | Auditifs | Visuels | Total | % | Auditifs | Visuels | Total | % | |
| Voir ci-dessous la liste des symptômes. | 19/20 | 23/23 | 42/43 | 97,7 | 16/16 | 22/22 | 38/38 | 100 | Exceptions : A (peu, à la maison) et 1 auditif en foyer nourricier. Remarques : 6 de ces mères manifestent un phénomène de rejet qui disparaît généralement au cours des premiers mois de traitement. |

— Se sent vide d'énergie, toujours fatiguée et portée à pleurer ;
— Dit se sentir déprimée ;
— Dort mal, en état d'inquiétude permanent ;
— Présente un sentiment de culpabilité imprécis ;
— Ressent une impression d'échec et de découragement devant l'inutilité de ses efforts répétés ;
— Manifeste des peurs irraisonnées ;
— Se refuse habituellement tout travail à l'extérieur ;
— Présente habituellement des désirs de fuite ou de rejet de son enfant ;
— Redoute en général la destruction possible du couple.
— Peut ressentir l'impression de ne pas avoir accouché ;
— Se sent toujours obligée de dire à son enfant ce qu'il doit faire ;
— Craint de faire garder son enfant, devant le manque d'autonomie de celui-ci.

**TABLEAU XVII**

**Observations de la période intra-utéro**

| À REPÉRER | PRÉSENT DANS LE CAS DU PATIENT AVANT TRAITEMENT | | | | COMMENTAIRES |
|---|---|---|---|---|---|
| | Auditifs | Visuels | Total | % | |
| Le bébé cause des douleurs à sa mère | 10/19 | 15/22 | 25/41 | 61,0 | Exceptions : 2 prématurés auditifs (par défaut de communication à l'hôpital). Les cas D et les enfants avec diktat d'être craintif. Les bébés non-désirés ou les bébés avec diktat de tranquillité. Les enfants pris comme confidents et les bébés dont la mère ne pense qu'à sa survie. |
| Le bébé bouge beaucoup | 12/20 | 16/23 | 28/43 | 67,4 | |
| La mère communique par le toucher | 18/19 | 23/23 | 41/42 | 95,3 | |
| Le père prend l'initiative de toucher le bébé | 11/19 | 14/23 | 25/42 | 59,5 | |
| Le père prend l'initiative de parler au bébé | 3/19 | 4/22 | 7/41 | 17,1 | |
| La mère encourage le père à toucher le bébé | 12/19 | 12/23 | 24/42 | 57,1 | |
| Les aînés touchent le bébé | 15/16 | 8/10 | 23/26 | 88,5 | |
| Les aînés parlent au bébé | 11/16 | 5/10 | 16/26 | 61,5 | |

(Suite page suivante)

TABLEAU XVII (**Suite**)

| À REPÉRER | PRÉSENT DANS LE CAS DU PATIENT AVANT TRAITEMENT | | | | COMMENTAIRES |
|---|---|---|---|---|---|
| | Auditifs | Visuels | Total | % | |
| Un étranger touche le bébé | 2/16 | 5/10 | 7/26 | 26,9 | |
| Un étranger parle au bébé | 1/16 | 4/10 | 5/26 | 19,2 | |
| Mère boulimique | 8/20 | 5/23 | 13/43 | 30,2 | |
| Mère qui se prive | 2/20 | 4/23 | 6/43 | 14 | |
| Mère polydypsique | 9/20 | 7/23 | 16/43 | 60,5 | |
| Mère agitée | 8/20 | 9/23 | 17/43 | 39,5 | |
| Mère lasse | 7/20 | 6/23 | 13/43 | 30,2 | |
| Mère avec sentiment de culpabilité prénatale et post-natale | 12/18 | 16/23 | 28/41 | 68,3 | |
| Dépression prénatale | 8/18 | 4/23 | 12/41 | 28,3 | |
| Prématurité | 5/20 | 5/23 | 10/43 | 23,3 | • 1 visuel de 7½ mois dont la mère redoutait qu'il ait le même signe du zodiaque que le père. • 1 grossesse gémellaire de 37½ semaines, l'auditif est autiste et le visuel, normal. • Dans une autre grossesse gémellaire de 7 mois, l'auditif est aussi autiste et le visuel, normal. |
| Postmaturité | 9/20 | 5/23 | 14/43 | 32,6 | |
| Césarienne à terme | 0/20 | 1/23 | 1/43 | 2,3 | |

## TABLEAU XVIII

**Déficits chez le nouveau-né de moins de 9 mois**

| DÉFICIT À REPÉRER | PRÉSENT CHEZ LE PATIENT AVANT TRAITEMENT | | | | CAS D'EXCEPTION OU COMMENTAIRES |
|---|---|---|---|---|---|
| | Auditifs | Visuels | Total | % | |
| Grognon ou criard | 16/20 | 20/23 | 36/43 | 83,7 | Exceptions : A, 2 cas E et 4 enfants dont les mères étaient en détresse affective. Remarque : L'auditif est plutôt grognon ou ronchonneur. |
| Coliques | 15/18 | 19/23 | 34/41 | 82,9 | |
| Gaz | 12/18 | 17/23 | 29/41 | 70,7 | |
| Insomnie | 12/20 | 16/23 | 28/43 | 65,1 | |
| Vomissements | 10/20 | 9/22 | 19/42 | 45,4 | |
| Constipation | 8/20 | 5/23 | 13/43 | 30,2 | |
| Diarrhée | 3/20 | 2/23 | 5/43 | 11,6 | |
| Boit lentement | 8/18 | 14/23 | 22/41 | 53,7 | Exceptions : 2 prématurés sont restés longtemps à l'hôpital où on les a garés. |
| Boit rapidement | 2/18 | 2/23 | 4/41 | 9,8 | |

(Suite page suivante)

TABLEAU XVIII (Suite)

**Déficits chez le nouveau-né de moins de 9 mois**

| À REPÉRER | PRÉSENT DANS LE CAS DU PATIENT AVANT TRAITEMENT | | | | CAS D'EXCEPTION OU COMMENTAIRES |
|---|---|---|---|---|---|
| | Auditifs | Visuels | Total | % | |
| Allaitement au sein | 7/20 | 7/23 | 14/23 | 32,6 | Cela ne semble rien modifier quant à la gravité du déficit de communication intra-utéro ni au fait d'être lent ou rapide à boire. |
| L'enfant de moins de 12 mois mord : | | | | | |
| • sa mère | 9/19 | 14/23 | 23/42 | 54,8 | Exception : L'enfant séquestré. |
| • son père | 3/20 | 7/17 | 10/37 | 27 | |
| • les enfants | 9/20 | 11/23 | 20/43 | 46,5 | 26 de ces patients ont des aînés ; certains de ces aînés n'ont pas touché le ventre de la mère parce qu'ils étaient trop âgés. |
| • les adultes | 5/20 | 8/23 | 13/43 | 30 | |
| Se pâme | 4/20 | 9/23 | 13/43 | 30,2 | |

# REMERCIEMENTS

Je tiens à remercier mon épouse Louise et mes enfants Paul, Alain, Dominique, Éric et Marie-Josée. Ils ont accepté, depuis deux ans, de partager et de supporter ma vie d'ermite. Louise et Paul m'ont tout particulièrement aidé par leurs critiques constructives ; ils ont également participé à la correction des textes. Je remercie par la même occasion mes trois secrétaires, Claire, Rose-Lyne et Bernadette, qui ont su décrypter les hiéroglyphes de mes manuscrits. Merci également à Pierre Dubois, photographe consciencieux, et à Jean-Louis, Raymond Lafontaine et Béatrice Lessoil qui ont cru en moi et m'ont soutenu.

# BIBLIOGRAPHIE

AJURIAGUERRA J. de, *Manuel de Psychiatrie de l'enfant*. Masson & Cie, Paris, 1970.

BATESON G., *La nature et la pensée*. Éditions du Seuil, Paris, 1984.

DOLTO F., *Phychanalyse et pédiatrie*. Éditions du Seuil, 1971.

ELLIOTT F.A., *The episodic dyscontrol syndrome and agression*. Neurologic Clinics. February 1984. W.B. Saunders Company.

ERIKSON E., *Adolescence et crise*. Flammarion, 1972. « Enfance et société », Delachaux et Niestlé, 1966.

FREUD A., *L'enfant dans la psychanalyse*. Gallimard, 1976.

KOCH E., *L'homme modifié*. Éditions Denoël, Paris, 1978.

LAFONTAINE R. et B. LESSOIL avec la participation de G. RACICOT, *Êtes-vous auditif ou visuel ?*. Les Nouvelles Éditions Marabout, Verviers, (Belgique), 1984.

LABORIT H., *La nouvelle grille*. Éditions Robert Laffont, Paris, 1974.

LAPLANCHE J. et J.-B. PONTALIS, *Vocabulaire de la psychanalyse*. Presses Universitaires de France, Paris, 1967.

PIAGET J., *Six études de psychologie*. Éditions Denoël Gonthier, Paris, 1964.

RICHER S., *Interventions stratégiques en santé mentale de l'enfant*. Gaétan Morin, 1981.

SHAYWITZ S., H.J. GROSSMAN et B. SHAYWITZ, *Symposium on learning disorders*. The Pediatric Clinic of North America, April 1984. W.B. Saunders Company.

VERNY T., *La vie secrète de l'enfant avant la naissance*. Grasset, Paris, 1982.

WATZLAWICK P., *Le langage du changement*. Éditions du Seuil, 1978.

Achevé    Imprimerie
d'imprimer  Gagné Ltée
au Canada  Louiseville